# MARKUS RAETZ

estampes, sculptures
prints, sculptures

Quatre-vingt-dix-neuf exemplaires de cet ouvrage sont
accompagnés d'un burin de Markus Raetz, sur chine appliqué,
intitulé *Ring*, imprimé par Michèle Dillier à Moutier, signé
et numéroté comme suit : soixante-huit épreuves numérotées
de 1 à 68, vingt-cinq épreuves d'artiste marquées e.a. de I à XXV,
six épreuves hors commerce marquées HC de 1 à 6, dont une
épreuve pour le dépôt légal.

Deluxe edition. Ninety-nine copies of this work are accompanied
by an engraving on *chine appliqué* by Markus Raetz, entitled *Ring*,
printed by Michèle Dillier in Moutier, signed and numbered as
follows: sixty-eight prints numbered 1 to 68, twenty-five artist's
proofs marked e.a. (*épreuve d'artiste*) from I to XXV, six proofs
marked H.C. (*hors commerce*) numbered 1 to 6, including one
proof for the legal deposit.

*Liberté • Égalité • Fraternité*
RÉPUBLIQUE FRANÇAISE

Ministère
**Culture**
**Communication**

# MARKUS RAETZ

estampes, sculptures
prints, sculptures

Sous la direction de
Edited by

Marie-Cécile Miessner & Farideh Cadot

Bibliothèque nationale de France

Cet ouvrage est publié à l'occasion
de l'exposition « Markus Raetz. Estampes,
sculptures », présentée par la Bibliothèque
nationale de France sur le site Richelieu,
dans la galerie Mansart, du 8 novembre 2011
au 12 février 2012.

Published on the occasion of the exhibition
'Markus Raetz. Estampes, Sculptures', held in
the Mansart gallery on the Richelieu site of
the Bibliothèque Nationale de France, from
8 November 2011 to 12 February 2012.

Exposition réalisée avec le soutien de
Exhibition supported by

fondation suisse pour la culture
prohelvetia

et avec la participation de Mᵐᵉ Monique
Barbier-Mueller et M. Georg von Segesser
with additional support from
Mrs Monique Barbier-Mueller and
Mr Georg von Segesser

## Bibliothèque nationale de France

Président
President
Bruno Racine

Directrice générale
Chief Executive
Jacqueline Sanson

Délégué à la diffusion culturelle
Cultural Programme Manager
Thierry Grillet

Déléguée au mécénat
Director of Development
Kara Lennon Casanova

## Exposition
Exhibition

Commissariat
Curators

Marie-Cécile Miessner
Conservateur en chef au département
des Estampes et de la Photographie de la Bibliothèque
nationale de France
Chief Curator at the Department of Prints and
Photographs at the Bibliothèque Nationale de France

Farideh Cadot
Galeriste
Gallerist

Production
Production

Service des expositions de la Bibliothèque
nationale de France, sous la direction
d'Ariane James-Sarazin
Exhibitions department of the
Bibliothèque Nationale de France,
directed by Ariane James-Sarazin

Coordination générale
Coordination
Anne-Hélène Rigogne

Régie des œuvres
Artwork management
Anne-Sophie Lazou

Préparation des documents
Preparation of documents
Andrée Rigaud, Caroline Bruyant

Encadrement
Framing
Atelier Pinçon

Lumière et régie technique
Lighting and technical production
Serge Derouault, Nathalie Grassi,
Damien Lebrun, Marc Piera, Paul Roth,
François Sorlin, Charlie Thico

Scénographie et graphisme
Exhibition design
Véronique Dollfus

## Prêteurs
Lenders

France
Paris, collection Farideh Cadot
Paris, Centre national des arts plastiques
Tourcoing, musée des Beaux-Arts Eugène Leroy
Collection privée

Suisse
Switzerland
Genève, musée d'Art et d'Histoire,
Cabinet d'arts graphiques
Martigny, collection privée
Collection Markus Raetz
Collection privée

## Édition
Publication

Direction éditoriale
Editorial direction
Pierrette Crouzet

Suivi éditorial et secrétariat de rédaction
Editorial office
Éric Vigneron, avec la collaboration
de Aisling Brennan pour l'anglais

Suivi et coordination iconographiques
Iconography
Laurianne Bossis, Céline Delétang,
Caterina D'Agostino, Frédérique Savona

Conception graphique et mise en pages
Graphic design and layout
Patricia Chapuis

Traduction
Excepté « Champs visuels », tous les textes de ce
catalogue ont été traduits du français par
Translation
All the texts in this catalogue, except 'Fields
of Vision', were translated from the French by
Isabel Ollivier

# REMERCIEMENTS

Nous tenons à remercier en tout premier lieu, très chaleureusement, Monika et Markus Raetz, pour leur accueil, leur disponibilité, leur extrême générosité. Notre gratitude la plus vive va ensuite à Farideh Cadot, qui depuis deux ans nous accompagne dans la réalisation de cette exposition ; sans elle, cet hommage à l'œuvre gravé de Markus Raetz n'aurait pu avoir lieu.

Notre gratitude va aussi aux auteurs, amis et proches de Markus Raetz : François Grundbacher, Olivier Kaeppelin, Bernhard Bürgi, qui nous a autorisé à publier son beau texte (1988) ; et aux prêteurs Richard Lagrange, président du CNAP, Jean-Yves Marin, directeur, Christian Rümelin, au Cabinet d'arts graphiques du musée d'Art et d'Histoire de Genève, Evelyne-Dorothée Allemand, au MUBA Eugène Leroy à Tourcoing, qui accueillera l'exposition en 2012, mais également à tous ceux qui ont souhaité conserver l'anonymat.

À la BNF, nous sommes particulièrement reconnaissantes à Bruno Racine, président, Jacqueline Sanson, directrice générale, Denis Bruckmann, directeur des collections, Sylvie Aubenas, directeur du département des Estampes et de la Photographie, pour avoir permis que cette exposition voie le jour. Nous voulons toujours exprimer notre reconnaissance à Françoise Woimant qui, si longtemps, a mis son enthousiasme et son pouvoir de persuasion au service des artistes et des collections d'estampes contemporaines. Nous n'oublions pas nos collègues de la BNF qui, à un titre ou à un autre, nous ont apporté leur aide amicale : Josué Seckel, directeur du département de la Recherche bibliographique, sans lequel nous n'aurions pas retrouvé le *Flourish* de Laurence Sterne, et, surtout, tous ceux et celles de la délégation à la communication, de la délégation à la diffusion culturelle (service des expositions, service de l'édition des livres, cellule iconographique) et du departement de la Reproduction, avec qui nous travaillons toujours avec un grand plaisir.

Nous tenons à remercier, pour leur généreux mécénat, le Champagne Louis Roederer et Pro Helvetia, la Fondation suisse pour la culture, ainsi que M^me Monique Barbier-Mueller et M. Georg von Segesser, qui ont également apporté leur soutien à la réalisation de cette exposition.

# ACKNOWLEDGMENTS

Firstly we offer our warmest thanks to Monika and Markus Raetz for their hospitality, cooperation and great generosity. Next, our keenest gratitude goes to Farideh Cadot who has assisted us in the preparation of this exhibition over the last two years; without her, this homage to Markus Raetz's print work could not have happened.

We are also grateful to the authors, friends of Markus Raetz, François Grundbacher, Olivier Kaeppelin, Bernhard Bürgi who gave us permission to publish his excellent essay (1988) and to the lenders Richard Lagrange, president of the CNAP, Jean-Yves Marin, director, and Christian Rümelin at the Cabinet d'Arts Graphiques of the Musée d'Art et d'Histoire in Geneva, Evelyne-Dorothée Allemand at the MUBA Eugène Leroy in Tourcoing, which will host the exhibition in 2012, and also to all those who wish to remain anonymous.

At the Bibliothèque Nationale de France, we are particularly indebted to Bruno Racine, president, Jacqueline Sanson, chief executive, Denis Bruckmann, head of collections, Sylvie Aubenas, head of the Prints and Photographs Department, for allowing the exhibition to take place. We also owe a great debt to Françoise Woimant who, for so many years, put her enthusiasm and power of persuasion at the service of the artists and collections of contemporary prints. We have not forgotten our colleagues at the BNF, who kindly assisted us in one way or another, Josué Seckel, head of the Bibliographic Research Department, without whom we would not have found Laurence Sterne's *Flourish*, and the staff of the Communication, Reproduction and Cultural Programme departments (exhibition management, publishing, picture research) with whom it is always a great pleasure to work.

Lastly, we would like to thank Champagne Louis Roederer, Pro Helvetia, the Swiss Arts Council, Mrs Monique Barbier-Mueller and Mr Georg von Segesser for their precious support.

# LES AUTEURS

### Bernhard Mendes Bürgi

Bernhard Mendes Bürgi, de nationalité suisse, est historien de l'art. Directeur depuis 2001 du Kunstmuseum de Bâle, après douze années passées à la tête de la Kunsthalle de Zurich, il a organisé de très nombreuses expositions d'art contemporain. Auteur d'essais sur des artistes suisses et étrangers, il a manifesté très tôt son intérêt pour l'œuvre de Markus Raetz, et notamment pour *Die Bücher*, auquel il a consacré son mémoire de doctorat en 1981. Avec Toni Stooss, il a conçu l'exposition « Markus Raetz » présentée successivement à Zurich, Cologne et Stockholm en 1986-1987. Outre le texte qu'il a rédigé à l'occasion de la biennale de Venise en 1988, que nous reproduisons dans ce catalogue, il est aussi l'auteur de *Markus Raetz, Arbeiten 1962-1986* (avec Toni Stooss ; Zurich, 1986) et de *Markus Raetz, Die Bücher 1972-76* (Zurich, Pablo Stähli, 1987).

### Farideh Cadot

D'origine perse, Farideh Cadot, après ses études en Grande-Bretagne, a vécu aux États-Unis et beaucoup voyagé. Devenue citoyenne française en 1968, elle ouvre sa première galerie en 1976, rue du Jura (Paris 13ᵉ), où elle présente surtout des installations et des performances (Connie Beckley, Pat Steir, Eve Sonneman, Jean Clareboudt ; exposition finale : « Espace 13 »). La galerie Farideh Cadot est sise aujourd'hui dans le quartier du Marais, rue Vieille-du-Temple et rue Notre-Dame-de-Nazareth. En 1981, une exposition de groupe intitulée « Un regard autre » réunit François Boisrond, Daniel Tremblay, Denis Laget, G. Collin-Thiébaut et Françoise Vergier. À ces artistes viennent par la suite s'ajouter Luciano Castelli, Salomé et Günther Brus. C'est à partir de novembre 1981 que Farideh Cadot expose régulièrement les œuvres (sculptures, dessins) de Markus Raetz. De 1985 à 1992, elle anime une galerie dans Soho, à New York, Broome Street, où elle expose des artistes européens (Georges Rousse, Joel Fisher, Juan Uslé, Philippe Favier). Conseillère artistique recherchée, Farideh Cadot vit au milieu d'un réseau de conservateurs, critiques et collectionneurs. Elle est à l'origine de plusieurs commandes de sculptures permanentes dans l'espace public, et a contribué à de nombreuses expositions institutionnelles en France et aux États-Unis : Meret Oppenheim au musée d'Art moderne/ARC de la Ville de Paris (1984) ; artistes russes au Setagaya Art Museum à Tokyo (1986) ; Georges Rousse à la Caisse nationale des monuments historiques (1988) ; Carlos Garaicoa à la Maison européenne de la photographie (MEP) (2002) ; Daniel Tremblay au musée des Beaux-Arts à Angers (2008) ; Miguel Angel Rios à la MEP (2009) ; et Markus Raetz : au New Museum of Contemporary Art à New York (1988), au Museum of Contemporary art à La Jolla (Californie) (1990), à la MEP (2002), au Carré d'art à Nîmes (2006) et, aujourd'hui, à la BNF. Farideh Cadot expose aussi bien des peintres que des photographes ou des sculpteurs, internationaux, de tous horizons. Ses choix personnels, subjectifs, rompent avec la mode ou le courant (du marché) de l'art. En 2009, Farideh Cadot a été décorée de la Légion d'honneur.

### François Grundbacher

Né en 1950 à Berne, François Grundbacher vit et travaille à Paris depuis 1980. Journaliste de formation, il collabore à de nombreuses publications suisses, allemandes et françaises. Ses critiques et ses chroniques sur l'art, la musique, le cinéma, le théâtre, la littérature, l'architecture et la politique culturelle, publiées notamment dans *Weltwoche*, *Du*, *Tages-Anzeiger*, *Weltkunst*, *Süddeutsche Zeitung*, *Die Welt* et *Beaux-Arts Magazine*, sont aussi diffusées à la radio. Par des essais, des articles ou des traductions, François Grundbacher apporte par ailleurs sa contribution à l'édition de livres d'artistes et de catalogues d'exposition.

### Olivier Kaeppelin

Olivier Kaeppelin est né en 1949. Il a écrit de nombreux essais et textes sur l'art, notamment sur Gérard Gasiorowski, Daniel Dezeuze, Richard Baquié, Imi Knoebel, Richard Deacon, Wolfgang Gäfgen, Gunther Brüs, Bernard Moninot, Jaume Plensa, Jose-Manuel Broto, Pierrette Bloch, Erik Dietman, Joan Miró, Jonathan Lasker, Yan Pei Ming, Jacques Monory, Damien Cabanes, Philippe Cognée, Bernard Basile, Vik Muniz, Jean-Claude Rugirello et Markus Raetz… ainsi que sur les questions du dessin, du collage, de l'art dans l'espace public. Commissaire d'expositions consacrées principalement à la création contemporaine, il est aussi le concepteur des manifestations la Force de l'art et Monumenta. Il est

l'auteur d'œuvres poétiques et, avec d'autres écrivains réunis par Alain Veinstein, a participé à la création des « Nuits magnétiques » sur France Culture. Il a fondé ou contribué à des revues littéraires, notamment *Exit*, *L'Autre Journal* ou *L'Ennemi*. Il a été, au ministère de la Culture : délégué aux Arts plastiques, directeur du projet du Palais de Tokyo ; à Radio France : producteur, directeur adjoint de France Culture, conseiller pour la politique culturelle auprès du président de Radio France. Il est actuellement directeur de la Fondation Marguerite et Aimé Maeght.

## Marie-Cécile Miessner

Marie-Cécile Miessner est conservateur en chef au département des Estampes et de la Photographie de la Bibliothèque nationale de France, où elle est chargée des collections d'estampes contemporaines et des livres d'artistes. Son activité se concentre sur l'enrichissement des collections, par la collecte du dépôt légal, en suscitant des dons, ou en prospectant en vue de l'acquisition d'estampes étrangères. Commissaire de nombreuses expositions, elle a dirigé ou apporté son concours à la publication de catalogues tels que *Tàpies ou la Poétique de la matière* (BNF/Cercle d'art, 2001), *Geneviève Asse. La Pointe de l'œil* (BNF, 2002), *Pierre Soulages : l'œuvre imprimé* (BNF, 2003), *Jim Dine. Aldo et moi* (BNF/Steidl, 2007) ou *Jean-Michel Alberola : l'œuvre imprimé* (BNF/Ereme, 2009). Marie-Cécile Miessner publie aussi régulièrement des articles dans la revue *Les Nouvelles de l'estampe*.

# THE AUTHORS

## Bernhard Mendes Bürgi

Bernhard Mendes Bürgi is a Swiss art historian. Director of the Kunstmuseum in Basel since 2001, after twelve years at the head of the Kunsthalle in Zurich, he has organised a great number of exhibitions of contemporary art. He is the author of essays on Swiss and foreign artists and showed a very early interest in the work of Markus Raetz, especially *Die Bücher*, the subject of his Ph.D. thesis in 1981. With Toni Stooss he was the prime mover of the Markus Raetz exhibition shown successively in Zurich, Cologne and Stockholm in 1986–7. The text he wrote for the Venice Biennale in 1988 is reprinted in this catalogue and he has also published: *Markus Raetz, Arbeiten 1962–1986* (with Toni Stooss; Zurich, 1986) and *Markus Raetz, Die Bücher 1972–76* (Zurich: Pablo Stähli, 1987).

## Farideh Cadot

Farideh Cadot studied in the UK, lived in the United States and has travelled extensively. She is of Persian origin and took French citizenship in 1968. In 1976, she opened her first gallery in the rue du Jura, Paris 13, focusing on installations and performances (Connie Beckley, Pat Steir, Eve Sonneman, Jean Clareboudt; Last 'Espace 13' Exhibition). The Farideh Cadot gallery is now in the Marais district of Paris, in the rue Vieille-du-Temple and the rue Notre-Dame-de-Nazareth. In 1981, a group show called 'Un regard autre' brought together François Boisrond, Daniel Tremblay, Denis Laget, G. Collin-Thiébaut and Françoise Vergier. These artists were later joined by Luciano Castelli, Salomé and Günther Brus. From November 1981 Farideh Cadot regularly exhibited sculptures and drawings by Markus Raetz. From 1985 to 1992, she ran a gallery in Broome Street, Soho, in New York, showing the work of European artists (Georges Rousse, Joel Fisher, Juan Uslé, Philippe Favier). Appreciated as an art advisor, Farideh Cadot lives in the midst of a network of curators, art critics and collectors. She has been the initiator of several commissions for permanent sculptures in public places and has contributed to many exhibitions in museums in France and the United States: Meret Oppenheim at the Musée d'Art Moderne/ ARC de la Ville de Paris (1984); Russian artists at the

Setagaya Art Museum in Tokyo (1986); Georges Rousse at the Caisse Nationale des Monuments Historiques (1988); Carlos Garaicoa at the Maison Européenne de la Photographie (MEP) (2002); Daniel Tremblay at the Musée des Beaux-Arts in Angers (2008); Miguel Angel Rios at the MEP (2009); and Markus Raetz at the New Museum of Contemporary Art in New York (1988), the Museum of Contemporary Art at La Jolla (California) (1990), the MEP (2002), the Carré d'Art in Nîmes (2006) and today at the BNF. Farideh Cadot readily shows the work of photographers, sculptors and painters from all over the world. Her choices are subjective and often break with the flow of fashion or the art market. In 2009, Farideh Cadot was decorated with the Legion of Honour.

### François Grundbacher

Born in Bern in 1950, François Grundbacher has lived and worked in Paris since 1980. Trained as a journalist, he contributes to many Swiss, German and French publications. His criticism and chronicles on art, music, film, theatre, literature, architecture and cultural policy, published notably in *Weltwoche*, *Du*, *Tages-Anzeiger*, *Weltkunst*, *Süddeutsche Zeitung*, *Die Welt* and *Beaux-Arts Magazine*, are also broadcast on the radio. Through his essays, articles and translations, François Grundbacher contributes to the publication of artists' books and exhibition catalogues.

### Olivier Kaeppelin

Olivier Kaeppelin was born in 1949. He has written numerous essays and texts on art, in particular on Gérard Gasiorowski, Daniel Dezeuze, Richard Baquié, Imi Knoebel, Richard Deacon, Wolfgang Gäfgen, Gunther Brüs, Bernard Moninot, Jaume Plensa, Jose-Manuel Broto, Pierrette Bloch, Erik Dietman, Joan Miró, Jonathan Lasker, Yan Pei Ming, Jacques Monory, Damien Cabanes, Philippe Cognée, Bernard Basile, Vik Muniz, Jean-Claude Rugirello and Markus Raetz… and on drawing, collage, and art in public places. The curator of exhibitions mainly on contemporary art, he also designed the events La Force de l'Art and Monumenta. He has written books of poetry, and with other writers gathered together by Alain Veinstein, helped create 'Nuits Magnétiques' on France Culture. He has founded or contributed to literary magazines, in particular *Exit*, *L'Autre Journal* and *L'Ennemi*. At the Ministry of

Culture he was in charge of the Plastic Arts, project leader for the Palais de Tokyo; at Radio France: producer, assistant director of France Culture, and advisor on cultural policy to the chairman of Radio France. He currently heads the Fondation Marguerite et Aimé Maeght.

### Marie-Cécile Miessner

Marie-Cécile Miessner is Chief Curator in the Prints and Photographs Department of the Bibliothèque Nationale de France, in charge of contemporary prints and artists' books. She focuses particularly on increasing the collections, through legal deposit, soliciting donations or prospecting for the purchase of foreign prints. She has curated many exhibitions, directed or assisted with catalogues such as *Tàpies ou la Poétique de la Matière* (BNF/Cercle d'Art, 2001), *Geneviève Asse. La Pointe de l'Œil* (BNF, 2002), *Pierre Soulages: L'Œuvre Imprimé* (BNF, 2003), *Jim Dine. Aldo et Moi* (BNF/Steidl, 2007) and *Jean-Michel Alberola: L'Œuvre Imprimé* (BNF/Ereme, 2009). Marie-Cécile Miessner contributes regularly to the journal *Les Nouvelles de l'Estampe*.

## Sommaire

## Contents

1 Markus Raetz dans son atelier, à Berne (2011)
Markus Raetz in his workshop, in Bern (2011)
© Alexander Jaquemet

# Préface

Pendant les années de mon séjour romain, les restaurateurs de l'ancien couvent royal de la Trinité-des-Monts eurent la surprise de découvrir, sous un enduit banal, des fragments d'une fresque inconnue auparavant. Ces taches sombres et en apparence informes auraient sans doute été jugées sans valeur et badigeonnées de nouveau si n'avait subsisté, dans une autre partie du couvent, une anamorphose du XVII<sup>e</sup> siècle : les restaurateurs venaient, sans s'en douter, d'en remettre au jour une seconde, dont le souvenir s'était perdu. Il est vrai que la Trinité-des-Monts, jusqu'à la Révolution, était le domaine des Minimes, les plus savants de tous les religieux, du père Mersenne en particulier, le célèbre correspondant de Descartes, et d'un certain père Nicéron, auteur, en 1638, du traité *La Perspective curieuse ou Magie artificielle des effets merveilleux de l'optique*. « La vraie magie ou la perfection des sciences, écrit-il, consiste en la perspective qui nous fait connaître et discerner plus parfaitement les beaux ouvrages de la nature et des arts », la perspective s'entendant ici au sens de l'optique en général et non des seules règles de la représentation codifiées à la Renaissance, lesquelles n'en constituent qu'un cas très particulier. Ce n'est pas un hasard si Jean-Hubert Martin a donné comme sous-titre « Arcimboldo, Dalí, Raetz » à la magnifique exposition du Grand Palais « Une image peut en cacher une autre ». Markus Raetz, amateur lui aussi d'anamorphoses, fait partie de cette génération d'artistes pour lesquels l'opposition entre abstraction et figuration n'avait plus de sens et devait être dépassée. Il s'inscrit dans cette lignée de créateurs qui, depuis la Renaissance jusqu'aux surréalistes et à Duchamp, ne séparent pas l'art et le jeu — jeu avec les pièges de la perception comme avec les mots. Il nous oblige, non sans humour parfois, à résoudre l'énigme, à rechercher le point où « toutes sortes de figures difformes », pour reprendre les mots du père Nicéron, « paraissent dans leur juste proportion ». Cette nécessité d'essayer de multiples points de vue sur une œuvre pour en apprécier les métamorphoses suppose d'intégrer la troisième dimension, et explique que l'exposition de la BNF présente, à côté des estampes, plusieurs sculptures de Markus Raetz, conviant ainsi le visiteur à un parcours riche en inventions et en surprises.

Je suis extrêmement reconnaissant à ce grand artiste d'avoir accepté l'invitation d'une institution qui s'honore d'avoir acquis, au fil des ans, l'essentiel de son œuvre gravé, et lui exprime ma profonde gratitude pour avoir enrichi cet ensemble par le don très généreux de quarante estampes. Je remercie Marie-Cécile Miessner, conservateur en chef au département des Estampes et de la Photographie, et Farideh Cadot, qui depuis toujours promeut l'œuvre de Markus Raetz à Paris, d'en avoir assuré la conception en accord avec ce dernier. Ma gratitude va enfin à Champagne Louis Roederer, à Pro Helvetia, la Fondation suisse pour la culture, ainsi qu'à M<sup>me</sup> Monique Barbier-Mueller et M. Georg von Segesser, qui ont bien voulu soutenir le projet.

**Bruno Racine,**
président de la Bibliothèque nationale de France

# Preface

During my years in Rome, the restorers of the former royal convent of Trinità dei Monti were surprised to discover fragments of a previously unknown fresco under an ordinary render. These apparently shapeless dark patches would probably have been considered worthless and whitewashed once more had there not been a seventeenth-century anamorphic work elsewhere in the convent. The restorers had undoubtedly brought to light a second one that had been forgotten. Admittedly, until the Revolution, Trinità dei Monti was the domain of the very scholarly Order of Minims, and in particular of Father Marin Mersenne, Descartes' famous correspondent, and Father Jean-François Nicéron, who was the author of the 1638 treatise on optics *La Perspective Curieuse ou Magie Artificielle des Effets Merveilleux* ('Curious perspective or artificial magic of marvellous effects'). 'Real magic or perfect science,' he wrote, 'consists in perspective which lets us more exactly understand and discern the fine works of nature and the arts'. Perspective is understood here in the sense of optics in general and not just the rules of representation codified in the Renaissance, which are only a very special case of it. It was not by chance if Jean-Hubert Martin added the subtitle 'One Image Can Hide Another' to the magnificent exhibition at the Grand Palais 'Arcimboldo, Dalí, Raetz'. Markus Raetz, who also has a penchant for anamorphoses, belongs to that generation of artists for whom the opposition between abstraction and figuration had lost its meaning and had to be overcome. He takes his place in a long line of artists, from the Renaissance to the Surrealists and Duchamp, who do not separate art and games and revel in optical illusions and wordplay. He obliges us, sometimes humorously, to solve the enigma, to look for the point where 'all sorts of deformed figures', to quote Father Nicéron, 'appear in their right proportion'. This need to try out multiple viewpoints on a work to appreciate its various metamorphoses implies the inclusion of the third dimension and explains why the BNF exhibition presents several of Markus Raetz's sculptures alongside his prints, offering visitors a circuit full of invention and surprises.

I salute this great artist for accepting the invitation of an institution which is proud to have bought the major part of his print work over the years and I am deeply grateful to him for enriching our collection with the very generous gift of forty prints. I would like to thank Marie-Cécile Miessner, Chief Curator in the Prints and Photographs Department, and Farideh Cadot, who has always promoted Markus Raetz's work in Paris, for designing the exhibition, with the consent of the artist. And lastly, I am most grateful to Champagne Louis Roederer, to Pro Helvetia, the Swiss Arts Council, and to Mrs Monique Barbier-Mueller and Mr Georg von Segesser, for the support they have given this project.

**Bruno Racine**
President of the Bibliothèque Nationale de France

# CHAMPS VISUELS

**Bernhard Bürgi**

En Tunisie, Markus Raetz note dans son carnet : « La mer a présenté aujourd'hui un bleu turquoise à côté d'un rose pâle. » L'observation impartiale du spectacle de la nature, la fusion avec lui, aboutissent, par un léger détachement, à la fiction d'une toile colorée : une appropriation, sans pinceau, de la prose poétique. Tous les moyens sont bons dans l'univers visuel de Markus Raetz, pourvu que notre rétine soit touchée, et ce sont souvent les plus simples qui sont utilisés ou inventés. Les impressions optiques peuvent, par le biais de la technique du dessin, s'associer à un « réalisme minimum », et faire émerger des structures artistico-artificielles par analogie avec le naturel.

À Ramatuelle, dans le Midi, où Markus Raetz séjourne chaque année, il esquisse et peint à l'aquarelle des paysages et des littoraux représentés de façon naturaliste, même si les détails n'ont été minutieusement travaillés que par endroits et que certaines parties plus fugaces font que la toile s'achève dans la tête de l'observateur, en des contrastes clairs-obscurs ou des ensembles monochromes pleins d'atmosphère. L'apparence agréable de formes rappelant des paysages déborde jusque dans des surfaces d'immatérialité ouateuse qui transforment une vision hallucinatoire en une cosmologie ou savent donner l'impression d'une prise de vue floue, pour se fondre en des taches, marques et traits qui se suffisent à eux-mêmes. C'est dans le mouvement de formes en déroute, de vagues et de nuages, dans l'oscillation entre la proximité et l'infinité, l'illusion et le reflet, l'azur de l'eau et le gris plombé du ciel, que se déploie l'horizon qui, dans sa linéarité, montre les berges, la mer et l'air, à la fois en tant que composition unidimensionnelle et en tant qu'espace tridimensionnel. Il est en quelque sorte une coupe

# FIELDS OF VISION

**Bernhard Bürgi**

In Tunisia, Markus Raetz writes in his notebook: 'On the sea today a turquoise-blue was depicted next to a pale pink.' The unquestioning observation of nature's spectacle, the union with it, assumes, through a slight detachment, the fiction of a colored picture: artistic appropriation without a brush, poetic prose. Anything will do to reach our retinas, and for his pictorial universe, Markus Raetz often chooses or invents the plainest media possible. Through drafting techniques, optical impressions can be turned into 'minimal realism', thus creating artistic-artificial structures in analogy to natural ones.

In Ramatuelle, the artist's annual port of call in the South of France, landscapes and coastlines are sketched and painted in a naturalistic style. Parts of them are worked out in great detail while other areas show only light-dark contrasts or richly suggestive monochromes, leaving the beholder to complete the picture for himself. The pleasant illusion of scenic formations seamlessly blends into fluffy, immaterial spheres, moving from hallucinatory vision to the realm of cosmology or conveying the impression of a blurred photograph, or even dissolving into unassuming spots, daubs and lines. The horizon lies between fleeting shapes of waves and clouds, between nearness and boundlessness, illusions and reflections, between azure-blue waters and lead-gray skies. It is a line representing the shore, the sea, the air, composed so that it simultaneously conveys flatness and depth. It is a magic section that cuts through all dimensions in which reflections break as phenomena of light and the spirit.

'Reality lies, for reality is not realistic. There is only one reality, eternity', says Eugène Ionesco. Raetz focuses

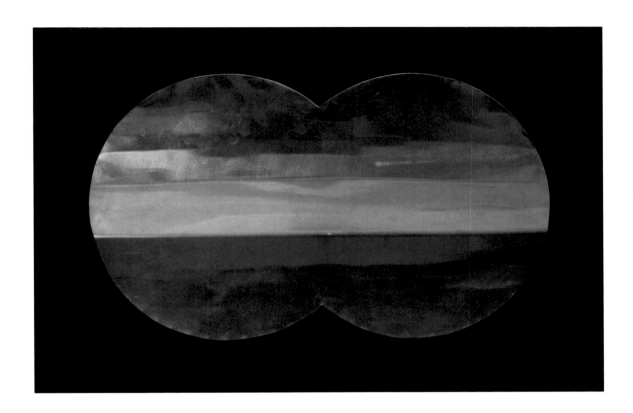

2   *Zeemansblik*
*Vue/Tôle du marin.* Relief en tôle de zinc
Relief cut from a zinc sheet
1987 [cat. 192]

magique à travers toutes les dimensions, sur lequel les réflexions se brisent comme autant de phénomènes produits par la lumière ou par l'esprit.

« La réalité ment, car la réalité n'est pas réaliste. Il n'existe qu'une réalité, l'éternité », dit Eugène Ionesco. Markus Raetz ne vise ni ce qui est perpétuel – qui se dérobe le plus souvent à notre vue – ni une reproduction empirique. Il se situe de préférence dans les zones d'ombre de la perception, change d'angle visuel et de

neither on the everlasting, which usually escapes our field of vision, nor on empirical reproduction. He prefers to linger in the gray areas of perception, always changing viewpoints and positions; his companion is continuity in constant flux.

A horizontal dent in an ordinary zinc sheet suffices to guide the imagination, attuned, as it is, to figuration; the zinc catches light and color reflexes that can be interpreted as weatherscapes ranging from a dark

point de référence, et c'est la continuité en constante évolution qui l'accompagne dans cette voie.

Une pliure horizontale sur une tôle brute de zinc suffit à éveiller notre imagination axée sur le figuratif, à recueillir en elle le reflet de surfaces lumineuses et colorées qui, selon l'atmosphère, nous font passer de l'assombrissement de l'orage à la clarté du silence. Les réflexions qui sont ainsi suscitées ne sont pas fixes, elles stimulent l'érotisme de l'œil, elles sont des champs visuels qui invitent avec précision l'observateur, en le séduisant, à créer en permanence, par ses propres mouvements, de nouvelles conditions météorologiques, voire de nouveaux univers, où le flou et la distorsion des images projetées établissent une distance. Le « Zeemansblik » (Vue/Tôle du marin) – c'est ainsi qu'est intitulé ce relief mural nu (ill. 2) – peut être assimilé, par sa banalité et son ouverture, à une surface de projection, à un instrument où chacun peut laisser jouer sa psyché et son esprit. Le paysage est toujours le miroir d'une certaine optique des choses, d'une nature qui est réduite à un contenu artistique ; le « regard » et la « tôle » ne sont-ils pas un seul et même mot en néerlandais ? Le réalisme de Markus Raetz est plutôt lié à la constatation que, selon le point de vue et le moment choisis, une autre image apparaît, ce qui se manifeste de manière significative dans les contours de la tôle, qui conduisent, avec l'imbrication de deux cercles, à des associations, comme le champ visuel bien défini qu'offrent des jumelles ou un bandeau sur les yeux, une boucle sans fin, ou encore la forme organique d'une guitare dont les sons ont pour effet de nous ouvrir les yeux ou de susciter simplement la nostalgie du voyage.

Markus Raetz aime les cavernes, les grottes, les failles dans les rochers, du fond desquelles on peut regarder la mer. Ces œuvres d'art sculptées par la nature deviennent, de façon pittoresque et surprenante, le symbole de l'orbite des yeux et du creux de la tête, rendant tangible ce qui est simultanément le réceptacle et le resserrement du centre de vastes découvertes.

Reproduction du texte publié dans : Markus Raetz. Biennale di Venezia 1988. Svizzera, Berne, Bundesamt für Kulturpflege, 1988.

thundering storm to the serenity of silence. Reflections produced in this way do not define, but cultivate the eroticism of the eye; they are fields of vision whose flattering precision invites the beholder to keep creating new meteorological conditions or even new worlds by moving around, while distance is defined by the unsharpness or distortion of the pictures thus created. Zeemansblik (ill. 2), as this plain mural relief is called, presents in its unabashed banality a projection area, an instrument on which any psyche and spirit can play. A landscape is always a mirror of a certain way of looking at things, of nature reduced to its artistic contents. (The word 'blik' in Dutch means both 'zinc' and 'view'.) Raetz's realism – ultimately a product of the fact that a different picture becomes visible from each point of view and at each moment in time – is emblematically formulated within the outlines of the zinc object. Consisting of two overlapping circles, it evokes associations with the clearly defined view through a pair of field glasses, with a blindfold, an endless loop, or the organic shape of the guitar, whose sounds open our eyes or simply nurture our dreams of distant lands.

Markus Raetz loves rocky caves, grottos and crevices from which one can look out over the sea. Such natural works of art suddenly become picturesque and surprising similes, i.e. eye sockets or the hollow form of the head, making tangible the simultaneously consoling and constricting center of extensive exploration.

Excerpt from: Markus Raetz. Biennale di Venezia 1988. Svizzera (Bern: Bundesamt für Kulturpflege, 1988). English translation by Catherine Schelbert.

# L'AIR DE RIEN

**Olivier Kaeppelin**

> Le vol des oiseaux laisse en moi la trace d'une trace,
> alors commence un vol intérieur, une originelle mobilité
> que je ne peux même pas fixer ni retenir […].
>
> Jacques TEBOUL, *Le Vol des oiseaux* [1]

J'ai toujours éprouvé, devant les œuvres de Markus Raetz, le sentiment contradictoire d'une pratique totalement maîtrisée et, dans le même temps, celui d'un geste extrêmement simple, toujours nouveau, à la recherche de sa forme. La construction des dispositifs des œuvres est d'une grande complexité, bien que présentant une figure aux agencements hésitants comme ceux d'une découverte. Markus Raetz, à l'évidence, se défie du « métier » pour nous offrir les recherches intenses d'un imaginaire acceptant le tâtonnement, le bricolage, afin de nous mettre au centre de l'expérience de l'invention.

J'ai le sentiment paradoxal que chacun de nous pourrait en faire autant, contredit par le développement d'une pensée, d'un savoir si subtils que l'art le plus souverain, le plus exigeant, lui est nécessaire. Cet art, de très haute ambition, se livre comme si de rien n'était, comme s'il ne cédait jamais à l'habitude, à la répétition, mais, au contraire, aux premiers mots, aux premiers gestes, gros d'un univers en train d'éclore.

Markus Raetz a pour territoires la perception, les langages, les jeux de la scène mentale. Il les atteint grâce à un choix méthodique de « l'inhabitude de la pratique ».

[1] Paris, Seuil, coll. « Fiction & Cᵉ », 1990, p. 280.

# YOU WOULDN'T THINK IT…

**Olivier Kaeppelin**

> A flock of birds in flight leaves the trace of a trace in me,
> and then begins an inner flight, an original mobility
> that I can neither catch nor hold…
>
> (Jacques Teboul, *Le Vol des Oiseaux*) [1]

Looking at Markus Raetz's works, I have always had the rather contradictory impression of great technical mastery and at the same time an extremely simple, and always new, search for form. The mechanisms he constructs are highly complex although the figure fits together hesitantly as if it were experimental. Markus Raetz obviously distrusts the tricks of the trade and offers us the intense research of an imaginative mind, accepting something more tentative and makeshift to put us at the core of the inventing process.

I have the paradoxical feeling that anybody could do as much, contradicted by the development of thought and knowledge so subtle that the most sovereign and exacting art is required. This highly ambitious art yields not to habit or repetition but, on the contrary, to the very first words and gestures, like a universe unfolding.

Markus Raetz's territories are perception, language and mind games. He reaches them by systematically putting the unaccustomed into the familiar.

Take, for example, the aquatint *Zeichnen* (To Draw), 1982. In it I see a man drawing, not earnestly and laboriously,

[1] *Le Vol des Oiseaux* (Paris: Seuil, 'Fiction & Cⁱᵉ', 1990), p. 280.

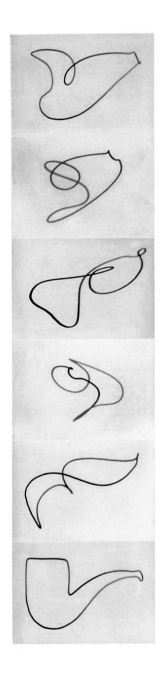

3    *Schatten*
     *Ombres*. Héliogravure et aquatinte
     *Shadows*. Photogravure and aquatint
     1991 [cat. 168]

Je pense, par exemple, à une aquatinte intitulée *Zeichnen* (Dessiner), de 1982. J'y vois un homme en train de dessiner, non pas avec sérieux, labeur, mais un jeune homme laissant aller sa main, au bout de laquelle se forme un trait semblable à lui. Il a sans doute les yeux fermés, sa main soutient son front et le haut de son crâne n'est pas fermé, laissant son imaginaire envahir le blanc du papier. Il est fait d'une ligne légère, mobile, comme des filaments prêts à se défaire. Il y a quelque chose de natif, de flottant, ouvert à toutes les métaphores. Il y a aussi une forme d'attente. L'attente que de son expérience naisse un instant inédit, inouï, celui de la création, comme il en est dans les dernières lignes du *Monde désert*, de Pierre Jean Jouve. Regarder une œuvre de Markus Raetz implique aussi ce moment de suspension, presque de désœuvrement. La perception circule, et, comme chacun sait, le regardeur fait l'œuvre. Nous nous imprégnons de détails, d'espaces, d'air entre les choses. Un processus d'ampliation de l'intelligence et des sens prend forme, jusqu'à ce qu'il nous envahisse. Il provoque le sentiment d'être entraîné dans son mouvement, au cœur d'une pensée dont Markus Raetz souhaite que nous soyons les acteurs.

C'est une des caractéristiques majeures de son travail que d'être ainsi construit par l'altérité. Il y a dans ses gravures, ses dessins, ses sculptures, une relation permanente entre lui et l'autre, entre ce qu'il conçoit et ce que je reçois. Ses formes s'élaborent dans ce parcours, mettant en évidence l'ambivalence et le virtuel en toute chose.

Les « objets » qu'il construit ne sont jamais, dans le sens commun, des objets, car ils sont sans cesse travaillés par une pluralité d'hypothèses et de significations. Il en fait une merveilleuse démonstration dans *Schatten* (Ombres; héliogravure, 1991), où un fil électrique noir, suspendu au-dessus du papier gélatine, crée l'image d'une pipe, ou celle d'une fumée, ou d'un nuage, ou encore d'une jarre, ou de toute autre figure saisie par l'inconscient *(ill. 3)*. Par ce clin d'œil à *Ceci n'est pas une pipe*, de René Magritte, Markus Raetz indique son territoire : celui d'une œuvre conceptuelle dont, à la manière de Wittgenstein, l'élément essentiel est la relation entre les images et les mots. À travers eux, il construit des propositions philosophiques et poétiques qui sont autant de paysages. Pour ce qui est de la poésie, il énonce son principe même, celui d'Hölderlin, de

but a young man letting his hand move freely and a line which resembles him emerges from his fingers. His eyes are probably closed, his hand supports his forehead and the top of his head is left open so his imagination can flow over the blank paper. The line is light and mobile like strands about to unravel. There is something native and floating about it, open to all metaphors. There is also a sort of expectation. The expectation that a completely new instant will be born of his experiment, an unprecedented event, a moment of creation, such as we find in the last lines of Pierre Jean Jouve's novel *Le Monde Désert*. Looking at a work by Markus Raetz also implies this moment of suspension, almost idleness. Perception circulates and, as we know, the spectator makes the work. We soak up details, spaces, air between things. Intelligence and meaning are gradually amplified and finally invade us. This gives us the feeling of being swept along in the core of a thought that Markus Raetz wants us to participate in.

One of the major characteristics of his work is therefore the participation of someone else. In his engravings, drawings and sculpture there is an on-going relationship between him and the other, between what he conceives and what I receive. His forms are constructed in this movement, bringing out the ambivalence and the virtual in everything.

The 'objects' he makes are never objects in the ordinary sense because they are assailed by a swarm of hypotheses and meanings. He gives a marvellous demonstration of this in *Schatten* (Shadows; photogravure, 1991) in which a black wire suspended above gelatine coated paper creates the image of a pipe, or smoke, or a cloud, or a jar or some other figure grasped by the subconscious *(ill. 3)*. With this sly dig at René Magritte's *Ceci n'est pas une pipe*, Markus Raetz stakes out his territory: that of a conceptual work in which, in Wittgenstein's sense, the important thing is the relationship between the images and the words. Through them he constructs philosophical and poetic propositions, which also happen to be landscapes. His core principle in poetry is that of Hölderlin, Rimbaud, Mallarmé or Raymond Roussel: say yes and no at once, say one thing and its opposite together, give the established meaning and the supposed meaning, express multiplicity and

Rimbaud, de Mallarmé ou de Raymond Roussel : dire « oui et non » à la fois, dire une chose et son contraire ensemble, dire le sens avéré et le sens supposé, dire la multiplicité et ainsi faire du monde représenté, ou du monde lexicalement désigné, un lieu d'énigme où rien n'est jamais sûr, où nous sommes obligés de questionner l'addition des différences et de penser, avec, comme guide, l'incertain. Par exemple, en une même sculpture, ces mots : « OH » et « OH » ; « SI », « NO » ; « CECI », « CELA » ; « ICI » et « LÀ » ; « OUI » et « NON » ; « TODO », « NADA ». Le sens change, selon les déplacements du corps, des yeux, se métamorphosant en nous comme dans l'univers.

Les mots deviennent des corps qui évoluent ; le mot est une substance réelle. Cette opération passe par le signifiant d'une langue devenue sculpture, mais elle traverse aussi le corps d'un homme à chapeau (peut-être Joseph Beuys) devenant lapin, entre l'ombre et la lumière, lapin symbolique d'Albrecht Dürer. Un verre devient bouteille, l'envers d'une tête contient l'endroit, révélé par le mouvement et les perceptions qui l'accompagnent. L'anamorphose est un cheval de Troie du sens. Ce *cheval* pénètre au sein de nos certitudes pour les défaire, pour créer un vide, un abîme entre le OUI et le NON, le TODO et le NADA. C'est ce vide qui nous livre au « nulle part », ou « NO W HERE », où tout se « réouvre », où les mots respirent lettre après lettre. Markus Raetz les fait décliner comme unités du dictionnaire, afin de les faire naître à nouveau comme matière première, babil, énonciation inconnue. Aucune certitude n'est alors permise, aucun monolithisme, tout devient affaire de relation, l'autre est aussi essentiel que l'un, et c'est dans la dialectique de leurs liens que se réenchante le monde. Le monde que cherche ou que crée Markus Raetz défait les certitudes statiques pour nous inviter à un univers animé par l'ouvert. Le sujet s'allège de la répétition et de la mort par cette quête incessante d'un espace au-delà de chaque *chose*.

Markus Raetz nous y entraîne par ses jeux avec les brisures de la langue, par les connexions, le reflet et la réflexion. Il donne tous ses pouvoirs à la vue, comme le fait le poète Louis Zukofsky quand il écrit :

> *Au-delà de la physique :*
> *Naturellement tout homme désire*

so make the represented or lexical world an enigmatic place where nothing is ever sure, where we are forced to question the addition of the differences and to think for ourselves, with uncertainty as our guide. For example, in one and the same sculpture we find these words: 'OH' and 'OH'; 'SI' and 'NO'; 'CECI', 'CELA'; 'ICI', 'LÀ'; 'OUI', 'NON'; 'TODO', 'NADA'. The meaning changes as our bodies and eyes move, metamorphosing within us, as in the universe.

The words become bodies which evolve; the word is a real substance. This operation uses the signifier of language become sculpture, but it also goes through the body of a man wearing a hat, perhaps Joseph Beuys, turning into a rabbit, midway between shade and light, Albrecht Dürer's symbolic rabbit. A glass becomes a bottle; the back of a head contains the front, revealed as the onlooker moves around it. Anamorphosis is a Trojan horse of meaning. This *horse* penetrates our certainties in order to dismantle them, create a void, an abyss between OUI and NON, TODO and NADA. It is this void that we are offered in 'nowhere', or NO W HERE, in which the words are 'reopened' and breathe, letter after letter. Markus Raetz declines them like units in a dictionary, to make them emerge once more as raw material, babble, unknown enunciation. Nothing is certain or monolithic, it is all in the relationship, the one and the other are both essential and the world is re-enchanted by the dialectic between them. The world that Markus Raetz seeks, or creates, unravels static certainties to invite us into a space where everything is open. The subject is relieved of repetition and death by this incessant quest for a space beyond each *thing*.

Markus Raetz takes us there by his games with shards of language, by connections, reflection and reflections. He gives sight full powers, as the poet Louis Zukofsky does when he writes:

> *Beyond Physics:*
> *All men by nature desire*
> *(It is put – but, in effect, love) to know*
> *We delight in our senses*
> *Aside from their usefulness*
> *They are loved for themselves –*

(on devrait dire aime) savoir
Que les sens nous réjouissent
Sans parler de leur utilité
Qu'ils sont aimés pour eux-mêmes
Et de tous les sens la vue
Éclaire davantage les différences
Entre les choses [2].

« L'ouverture entre les choses », voilà ce à quoi travaille l'œuvre de Markus Raetz. Cette faille, cet espace n'est-il pas le résultat de l'incessant usage du doute ? Doute sur la réalité. Doute sur ce que l'on entend. Doute sur ce qu'on a rêvé. Doute sur ce que l'on pensait.

Dans de nombreuses estampes, nous sommes exposés à cette expérience fondatrice du doute, par exemple dans *Quodlibet II* (eau-forte, 1970), où la partie supérieure nous laisse voir des linéaments, des griffures, peut-être des flux qui entraînent des vortex, des cercles de lumière, alors que la partie inférieure fait apparaître, en un fourmillement de points, des petites boules, cette fois, en volume et immobiles.

Dans le haut de la plaque, le trait, ondulant, tourbillonnant, rend le mouvement clairement visible ; dans le bas, comme dans un brouillard, se révèlent l'évanescence, la fragilité de figures appartenant, cependant, à une même famille de formes circulaires. Les deux parties sont comparables et associées, mais l'une concrétise l'énergie, l'élan, l'autre la disparition, l'éloignement, la dilution. Elles sont les deux faces d'une même réalité travaillée par l'équivoque, les interprétations dérangeantes de la psyché. Il y a bien une « réalité », un « étant donné », mais il n'est vivant que parce que l'activité de notre pensée le mue en « réel » par l'arrangement, la distorsion, le *dialogue*. Ce qui nous est donné est mis à la question. C'est cette mise en question que Markus Raetz dessine.

Étrangement, ce doute ne produit aucun cynisme, aucun désintérêt du monde, bien au contraire, il le rend plus déroutant, plus insaisissable, donc plus désirable. Notre regard est obligé d'aller vers lui avec plus d'acuité.

And most of all the sense of sight
Brings to light differences
                between things. [2]

'The opening between things' is what Markus Raetz's work is all about. This gap or space is surely the result of the continual use of doubt. Doubt about reality. Doubt about what we hear. Doubt about what we have dreamed. Doubt about what we thought.

Many of his prints expose us to this fundamental experience of doubt, for example, *Quodlibet II* (etching, 1970) in which the upper part shows outlines, scratches, perhaps flows which produce vortexes and circles of light, while the lower part is a swarm of dots forming small balls, this time immobile and in volume.

The wavy, swirling lines at the top of the plate make the movement clearly visible; at the bottom, the evanescence and fragility of figures, which nonetheless belong to the same family of circular shapes, are revealed as if in a fog. The two parts are comparable and associated but one materialises energy, and momentum, the other disappearance, distance and dilution. They are the two faces of the same reality, the equivocal, disturbing interpretations of the psyche. There is indeed a 'reality', a 'given', but it exists only because our thought processes change it into something real by arrangement, distortion, *dialogue*. What is given is questioned. And it is this questioning that Markus Raetz draws.

Strangely, this doubt does not spawn cynicism or indifference; quite the contrary, it makes the world more surprising, more elusive and so more desirable. We must sharpen our focus. Nothing is *written* any more. Everything is exploration. Nothing is here forever, but everything we think of, if it is approached and loved, becomes something real that *comes and keeps coming*. So we experiment, accepting nothing as given and trusting that the experiment will make us more alive to the world. This methodical approach makes each instant the first.

**2** Louis Zukofsky, « *A* », Section 12, trad. Serge Gavronsky et François Dominique, Langres, Virgile, coll. « Ulysse fin de siècle », 2003, p. 67.

**2** Louis Zukofsky, '*A*', Section 12 (Baltimore, Md.; London: The John Hopkins University Press, 1993), p. 169.

Rien n'est plus *écrit*. Tout devient exploration. Chaque chose n'est pas, ici, de toute éternité, mais chaque chose pensée, si elle est vraiment approchée, aimée, devient un réel *qui vient et ne cesse de venir*. Markus Raetz fait de nous des expérimentateurs qui n'acceptent rien comme acquis et qui ont foi en l'expérience, permettant d'être plus vivant au monde. Grâce à cette attitude méthodique, chaque instant est le premier. L'œuvre de Markus Raetz provoque le silence, la surprise, afin que tout recommence.

Je crois qu'elle est proche de cette affirmation d'Angela Pralini, « femme-personnage » de Clarice Lispector, qui déclare : « Seul m'intéresse ce qu'on ne peut pas penser — ce qu'on peut penser est un peu trop pour moi[3]. » Alors naît l'expérience de l'art, accompagnée par la conscience du commencement.

Cette attitude favorisant l'usage de la déconstruction, de la dislocation, permet une recomposition sans aucun maniérisme. Markus Raetz se sert de sujets simples et partageables ; il part de l'expérience commune pour l'approfondir et l'enrichir. Il travaille sur le stéréotype ou le poncif pour le désarticuler par l'imagination. Nous ne trouvons pas dans son œuvre de scènes alambiquées, mais des sites, des portraits, des nus, les images lisibles d'une narration ou des clichés de stars, comme, par exemple, Elvis Presley *(ill. 113)*.

Si nous apercevions cette énième version du King dans un magazine, sans doute ne la verrions pas, tant nous sommes abreuvés de son image. Elle ne serait qu'un décor parmi d'autres. C'est cependant à partir de cette « carte postale » que Markus Raetz décide de nous *redonner la vue*. Il emploie, pour ce faire, une méthode de décomposition trichromique qui provoque, de loin, le sentiment de voir une image noir et blanc, alors que de près, elle se métamorphose, se colore grâce à la trichromie. Cet effet transforme une image défunte, une image désactivée, en un portrait vibrant d'autant d'unités créées par le croisement des lignes, en équilibre entre implosion et explosion. Celui-ci nous fait éprouver un

Markus Raetz's work provokes silence and surprise that makes it possible to start afresh.

I see a similarity with a remark by Angela Pralini, a character invented by Clarice Lispector: 'All that interests me is what cannot be thought – what can be thought is a bit much for me'.[3] This is the birth of the experience of art accompanied by awareness of the beginning.

An approach that makes use of deconstruction and dislocation permits reconstruction in a straightforward way. Markus Raetz uses simple subjects that can be shared; he starts from common experience and seeks to deepen and enrich it. He works on stereotypes or clichés, taking them apart by the power of imagination. In his work we do not find convoluted scenes, but sites, portraits, nudes, pictures from a narrative or snapshots of stars, such as Elvis Presley *(ill. 113)*.

If we saw this nth version of the King in a magazine we would probably not notice it because we are saturated with his image. It would be yet another picture. But Markus Raetz has used this postcard to *restore our sight*. To do so, he breaks down a three-colour image so that from a distance it looks like a black-and-white photo, while close up it turns into a three-colour image. This effect transforms a dead or deactivated image into a portrait vibrating with the units produced where the lines cross, hovering between implosion and explosion. We have trouble seeing it clearly, so we move back and forth to adjust our vision and, by this exercise, become a 'looker' again, an actor in a relationship. This experience is even more disturbing with *Akt* (three-colour digital print, 1978) *(ill. 137)*, which breaks down an original Polaroid photo of a nude. The process changes the academic nude, giving it a presence in which the colours and the rhythm stimulate desire.

So, Markus Raetz chooses and develops a technique to take over at the point where we had ceased to see. He reactivates our perception so that the other senses will restore the radiance of these 'dead letter' bodies.

**3** Clarice Lispector, *Un souffle de vie*, trad. Jacques et Teresa Thiériot, Paris, Des femmes, 1998, p. 135.

**3** Clarice Lispector, *Um Sopro de Vida: Pulsações*. Original text in Portuguese, translated here from a French translation.

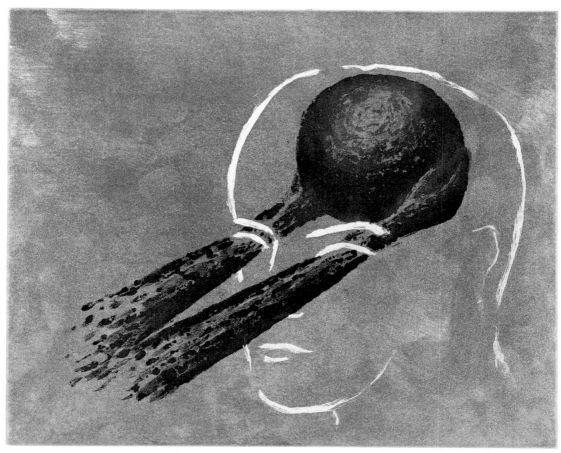

E.A.                                                                     M.R. 86

4   *Kluge Kugel III*
    *Boule intelligente III.* Aquatinte
    *Intelligent Ball III.* Aquatint
    1985-1986 [cat. 70]

trouble qui nous oblige, dans un mouvement d'aller-retour, à adapter notre vision, à redevenir, par cet entraînement, acteur d'une relation, « un regardeur ». Cette expérience est encore plus troublante avec *Akt* (impression laser trois couleurs, 1978) *(ill. 137)*, nu décomposé à partir d'un polaroïd, qui change et charge ce nu académique d'une présence où les couleurs et le rythme relancent le désir.

Other procedures – darkening, inversion, mirrors, photocopying – are used to awaken the riches and depth in everyday objects and the classics of art history or philosophy. So his landscapes of mountains, sea or caves do not exist as citations, but as the active present of a 'phenomenon'. We could think that they are primarily pretexts, machines for thinking using metaphors and the

Ainsi, à travers une technique choisie et élaborée, Markus Raetz reprend le regard là où il s'est éteint. Il le réactualise afin que les autres sens redonnent tout leur rayonnement à ces corps « lettres mortes ».

Grâce à d'autres processus : l'assombrissement, l'inversion, les jeux de miroir, l'emploi de la photocopie, Markus Raetz réveille la richesse et la profondeur des objets de la vie quotidienne, des classiques de l'histoire de l'art ou de la philosophie. C'est ainsi que des paysages de montagne, de mer, de grotte n'existent jamais comme citations mais comme le présent actif d'un « phénomène ». Nous pourrions croire qu'il s'agit, avant tout, de prétextes, de machines à penser, avec comme proposition conceptuelle la métaphore, mais aussi la dimension sensuelle et imaginaire. C'est le corps tout entier qui est impliqué, grâce à une expérience substantielle qui recèle en elle son propre esprit, comme il en est dans cette phrase de Clarice Lispector : « L'esprit de la chose est l'aura qui entoure les formes de son corps. C'est un halo. C'est une haleine. C'est un respirer. C'est une manifestation. C'est le mouvement libre de la chose. Je fais partie de la grande énergie du monde. J'ai tellement d'énergie que je mets les choses statiques ou dotées de mouvement sur le même plan énergétique[4]. » C'est ainsi que tout poncif est bousculé, refondu.

Cette affirmation de la grande écrivaine brésilienne s'accorde à l'œuvre de Markus Raetz. Chez lui, la chose et la pensée sont une, circulant du dehors au dedans, du dedans au dehors, comme en une grotte.

Dans son œuvre, tout semble pouvoir s'inverser, l'important n'est pas l'inversion mais le parcours qui la permet. Grâce à la perception s'effectue un échange pérenne et incessant entre intérieur et extérieur.

C'est ce que nous comprenons dans de nombreuses estampes, comme notamment *Blick aus einer Höhle aufs Meer* (Vue de l'intérieur d'une grotte sur la mer ; aquatinte, 1991) *(ill. 75)*, où le regard n'existe que dans un va-et-vient entre les parois sombres de la cavité

sensual and imaginary dimension as the concept. The whole body is involved through a substantial experience which contains its own spirit, as Clarice Lispector says: 'The spirit of the thing is the aura which surrounds the forms of its body. It is a halo. It is a breath. It is breathing. It is a manifestation. It is the free movement of the thing. I am part of the great energy of the world. I have so much energy that I put static things and mobile things on the same energy plane.'[4] So all the clichés are shaken up and rearranged.

This statement by the great Brazilian writer resonates with the work of Markus Raetz. For him, the thing and the thought are one and the same, circulating between the inside and the outside, as in a cave.

Everything in his work seems capable of being inverted; the important thing is not the inversion but the path that makes it possible. Perception operates an incessant, durable exchange between the interior and the exterior.

That is what we understand in many prints, in particular *Blick aus einer Höhle aufs Meer* (Looking at the Sea by a Cave; aquatint, 1991) *(ill. 75)* in which the eye flicks back and forth between the dark walls of the cave and the bright hole of the sea. The effect is even stronger in *Aussicht* (View; coloured pencil, 1983) or *Zwei Durchblicke* (Two Vistas; water colour, 1988), in which we think we can see the horizon or the sky through two peepholes while at the same time we feel that two eyes are boring deep into us. The interior and the exterior come in contact, mouth-to-mouth, as Antonin Artaud would say. They are inseparable. They make the lines between them dance as in *Sinne II* (Senses II; aquatint, 1987) *(ill. 62)* or in *Kluge Kugel III* (Intelligent Ball III; aquatint, 1985) *(ill. 4)*, in which the character reaching through the eye sockets of the person facing him lays a roughly spherical 'intelligent ball' on his brain like an offering. A magnificent work on otherness, which is highly pertinent today. Yes, Markus Raetz's work 'sets the inner object in the outer object.' It is this principle which enables us to be part of the *cosmos* and of our cognitive activity which receives it and conceives it.

---

4  Clarice Lispector, *Un souffle de vie, op. cit.*, p. 144.

4  Clarice Lispector, *Um Sopro de Vida: Pulsações*. Original text in Portuguese, translated here from a French translation.

et le trou lumineux de la mer. Il en est de même, et plus encore, dans les dessins *Aussicht* (Vue ; crayons de couleur, 1983) ou *Zwei Durchblicke* (Deux échappées ; aquarelle, 1988), où nous croyons voir, à travers deux percées, l'horizon ou le ciel, alors qu'instantanément nous avons le sentiment que deux yeux pénètrent au plus profond de nous. L'intérieur et l'extérieur « s'abouchent », comme le dirait Antonin Artaud. Ils sont indissociablement liés. Ils font danser les lignes passant de l'un à l'autre, comme dans *Sinne II* (Sens II ; aquatinte, 1987) *(ill. 62)* ou dans *Kluge Kugel III* (Boule intelligente III ; aquatinte, 1985) *(ill. 4)*, où un personnage, traversant les yeux de celui qui lui fait face, apporte une « boule intelligente », plus ou moins sphérique, qu'il place à la hauteur du cerveau comme une offrande. Œuvre magnifique sur l'altérité que, par les temps qui courent, nous ferions bien de méditer. Oui, Markus Raetz, dans son œuvre, « met en jeu l'objet intérieur dans l'objet extérieur ». C'est ce principe qui nous permet d'être un élément du *cosmos* comme de notre activité cognitive qui le reçoit et le conçoit. Il met en jeu, donc, « l'inhabitude dans la pratique, l'imagination dans le poncif, la foi dans le doute ». Ces mots sont ceux d'André Breton et Paul Eluard dans *L'Immaculée Conception*, texte pour lequel Markus Raetz a réalisé d'admirables dessins. Au-delà de leur sujet, l'amour et l'érotisme, je crois que ces dessins révèlent une communauté philosophique, dont le foyer est le primat de l'interrogation. Grâce à eux, nous voyons l'esprit se déployer, ce qui est un des sujets centraux de son œuvre. Elle est une œuvre de concepts, mais de concepts incarnés : leur substance est celle des langages et des corps. Elle ne propose pas de réponse mais seulement la formalisation d'un « problème et l'issue indéfiniment problématique du problème [5] ». Le problème fonde le lieu. Markus Raetz s'y tient avec la légèreté de celui qui fait pencher la balance d'un côté ou de l'autre grâce au poids d'un rayon de lumière ou d'un reflet. C'est une jouissance immense que de voir passer devant nous, concrets et fluides, les jours et les heures de la pensée, sa manière de se frayer un chemin.

It injects 'lack of habit into familiar practices, imagination into clichés, faith into doubt'. Those were the words of André Breton and Paul Eluard in *L'Immaculée Conception*, a text admirably illustrated by Markus Raetz. Going beyond their subject – love and eroticism – I think that they reveal a common philosophy, the focus of which is the primacy of interrogation. These words show us the mind at work, which is one of the central subjects of Raetz's work. His work is conceptual, but the concepts are incarnate. Their substance is that of languages and bodies. Raetz's work does not offer answers but simply the formalisation of a 'problem and the indefinitely problematical outcome of the problem.'[5] The problem sets out the place. Markus Raetz stands there as lightly as someone who tips the scale to one side or the other with a ray of light or a reflection. It is an immense pleasure to see the days and hours of thought passing in front of us, concrete or fluid, and to observe the meandering paths of the mind.

5  André Breton, Paul Eluard, *L'Immaculée Conception*, Lausanne, L'Âge d'homme, 2002 (éd. fac-similé du manuscrit du musée Picasso), p. 137.

5  André Breton, Paul Eluard, *L'Immaculée Conception* (Lausanne: L'Âge d'Homme, 2002, facsimile edition of the manuscript in the Musée Picasso), p. 137.

# PORTRAIT DE L'ARTISTE EN LECTEUR DIGRESSIF

**François Grundbacher**

Le chemin sur lequel je cours
Ne sera pas le même quand je ferai demi-tour
J'ai beau le suivre tout droit
Il me ramène à un autre endroit
Je tourne en rond mais le ciel change
Hier j'étais un enfant
Je suis un homme maintenant
Le monde est une drôle de chose
Et la rose parmi les roses
Ne ressemble pas à une autre rose.

Robert DESNOS, *L'Anneau de Moebius*

Supposons, sans vouloir verser dans les lieux communs éculés, que l'exposition d'une œuvre plastique soit l'équivalent de la publication d'un travail littéraire. Dans les deux cas, le créateur rendrait sciemment public le fruit de son imagination qu'il considère généralement comme mûri et achevé. Pour certains, structuralistes en tête, seul le résultat compte, indépendamment de la vie de l'auteur, la bibliographie remplaçant la biographie d'un écrivain, et la liste d'expositions le curriculum vitæ d'un peintre. Mais pour en arriver là, il aura fallu à ce créateur dégager les sens dès son enfance, et réfléchir sur sa condition existentielle avant de prendre conscience de son inclination artistique et de voler de ses propres ailes. Chez Markus Raetz – par la suite réduit à ses initiales, à ne pas confondre avec celles d'Emanuel Redensky, Rudzitsky, Radnitszky, bref : Man Ray –, les années de formation ne font, dans un premier temps, pas forcément présager de l'itinéraire que l'on connaît. Ni enseignement artistique spécifique ni signes précoces d'une orientation

---

# PORTRAIT OF THE ARTIST AS A DIGRESSIONAL READER

**François Grundbacher**

The path I am running down
Will not be the same when I turn around
And if I keep running straight ahead
To another place will I be led
I run in circles yet skies change
I was a boy yesterday
I am a man today
Funny how this world goes
Amidst the roses, one rose
Is not the same as another rose.

(Robert Desnos, 'Moebius Strip')

Let us suppose, without falling into hackneyed commonplaces, that exhibiting a sculpture is much the same thing as publishing a book. In both cases, the creator knowingly offers the public the fruit of his imagination, which he generally considers to be mature and accomplished. Some people, headed by the Structuralists, think that only the end result counts, independently of the author's life, because a bibliography replaces the writer's biography, and a list of exhibitions, the artist's curriculum vitae. But for that to be the case, the creator would have had to liberate his senses when he was a child and think about his existential condition before becoming aware of his artistic inclination and taking flight. The formative years of Markus Raetz (later known just by his initials, not to be confused with those of Emanuel Redensky, Rudzitsky, Radnitszky, in short: Man Ray), afford few clues to the course of his later career. No specific art training, no early signs of a chosen path, just a vague vocation served by an indubitable talent and an inquiring mind. Far from

Épreuve                                                                M. R. 80

5   *Impressions d'Impressions d'Afrique*
    Pl. III. Eau-forte et aquatinte
    Pl. III. Etching and aquatint
    1980 [cat. 118-131]

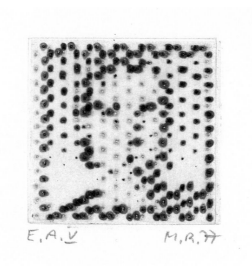

6    *Selbstbildnis*
*Autoportrait.* Gravure au criblé
*Self-Portrait.* Dotted manner engraving
1977 [cat. 22]

définitivement acquise, juste une vague vocation servie par un indubitable talent et une curiosité inépuisable. Loin de se cantonner au domaine des arts visuels, MR explore au fur et à mesure toutes les richesses du champ culturel : musique, cinéma, théâtre, littérature, poésie. Prises comme fil rouge de sa vie – il est désormais septuagénaire –, ses lectures permettent de mieux comprendre son univers mental, la palette de ses goûts et son cheminement artistique, tout en révélant un penchant quasi naturel qu'il a pour la digression.

### La vie est dure sans confiture (proverbe suisse alémanique)

Pour les futurs biographes scrupuleux et les astrologues pointus, une précision géographique s'impose d'emblée. Si MR est bien né le 6 juin 1941 au bord de l'Aar, il n'a pas vu le jour à Büren, contrairement aux indications de convenance jusqu'ici publiées, mais à l'hôpital Salem de Berne. Fils d'instituteurs, il grandit à la campagne, à vingt-cinq kilomètres au nord-ouest de la capitale

confining himself to the visual arts, MR progressively explored the entire cultural field: music, film, theatre, literature, poetry. Taken as the red thread running through his life – he is now in his seventies – the books he read give us insight into his imagination, the palette of his tastes and his artistic trajectory, while revealing an almost instinctive penchant for digression.

### 'La vie est dure sans confiture.' (Proverb used by German Swiss)

For scrupulous future biographers and finicky astrologists, one tiny geographical error must be cleared up from the start. Although MR was indeed born on the banks of the Aare on 6 June 1941, the event did not take place in Büren, as is customarily published, but at the Salem hospital in Bern. His parents were primary school teachers and he grew up in the country, twenty-five kilometres north-west of the federal capital. Büren is a medieval town and the capital of Seeland, or 'Lakeland'. To Swiss German ears, the local dialect immediately betrays the speaker's origin.

fédérale. Büren, bourg médiéval, est un chef-lieu de district du Seeland, le « pays des lacs ». On y parle un dialecte trahissant immédiatement aux oreilles des Suisses alémaniques l'origine de l'interlocuteur. Particularisme foncièrement helvétique, le dialecte « bernois » n'existe pas ; il se décline en une multitude de variétés et variations régionales. MR en prend conscience dès sa plus tendre enfance. Son père étant souvent mobilisé pendant la guerre et sa mère devant assumer ses responsabilités professionnelles et familiales, l'enfant, jusqu'à sa scolarisation, est régulièrement confié à ses grands-parents, à Boltigen (Simmental) – pour la branche maternelle –, où la sonorité chantante du dialecte typique de l'Oberland bernois lui fait saisir, pour la première fois, les charmes de la diversité phonétique. Son grand-père menuisier l'initie aux gestes et maniements artisanaux élémentaires qui lui seront d'une grande utilité par la suite. Quant à sa grand-mère, qui gère une petite épicerie où il est souvent question de vaches, sujet incontournable dans cette vallée qui a donné son nom à une célèbre race bovine à robe pie rouge, elle est d'origine neuchâteloise, canton réputé pour son français impeccable, et lui fait entendre des sons a priori dépourvus de sens pour ses oreilles bernoises. MR se souvient du premier mot français compris à l'âge de trois ans : « confiture », sans doute destinée à le consoler de son terrible mal du pays et de son envie de rentrer au bercail.

Cadet de trois enfants, il profite de l'avance de sa sœur et de son frère pour apprendre. Son frère, Jürg, a six ans de plus que lui. Suffisamment pour devenir un informateur privilégié. MR : « Jürg était plutôt un théoricien, et un bricoleur extrêmement maladroit. » Il deviendra mathématicien (sa sœur Elsbeth, institutrice de formation, épousera un ophtalmologiste). Grâce à eux, MR apprend les lettres de l'alphabet dès l'âge préscolaire, et aborde l'école avec une soif de savoir insatiable et une facilité si déconcertante qu'il ne tarde pas à s'imposer comme le premier de la classe. En dehors du pensum obligatoire, il cède à l'attirance, pour lui magique, des livres. Parmi les premières lectures qui accaparent son attention, on trouve les classiques *Struwwelpeter* (*Pierre l'Ébouriffé*) et *Max et Moritz*, mêlant amusantes histoires et images burlesques – espiègles ancêtres de la bande dessinée. Il adore écouter la maîtresse raconter des histoires passionnantes sur les hommes des cavernes, les habitations lacustres ou

It is a distinctly Swiss oddity that there is no 'Bernese' dialect as such, but myriad varieties and regional variations. MR realised that at an early age. As his father was often mobilised during the war and his mother had to take over his responsibilities at work and at home, the little boy was regularly sent to his maternal grandparents in Boltigen, in the Simmental Valley, where the sing-song dialect typical of the Bernese Oberland initiated him to the charms of phonetic diversity. His grandfather was a carpenter and taught him the rudiments of his craft, which proved very useful later on. His grandmother ran a small grocery store where there was often talk of cows, a common subject of conversation in a valley which had given its name to a famous breed of cattle with a red and white spotted coat. She came from Neuchâtel, a canton famed for its flawless French, and her talk was at first meaningless to his Bernese ears. MR remembers the first French word he understood, when he was three: 'confiture', no doubt a spoonful of jam to help him over his terrible homesickness.

He was the youngest of three children and learned quickly from his brother and sister. His brother, Jürg, was six years older, which made him a special source of information. MR: 'Jürg was more of a theorist and he was very clumsy with his hands.' He became a mathematician, while his sister Elsbeth trained as a school teacher and married an ophthalmologist. MR had mastered the alphabet as a preschooler and when he started school he was so eager and quick that he was soon at the top of the class. He was not content with the set texts and was soon captivated by books. Among his early favourites are the classics *Struwwelpeter* (*Shock-Headed Peter*) and *Max und Moritz*, a mix of funny stories and burlesque pictures – roguish forerunners of the comic strip. He loved listening to the school mistress' exciting tales of cavemen, lake dwellers and Robinson Crusoe. Television was in its infancy and the radio was the most popular source of information and entertainment. The Beromünster national station broadcast excellent radio plays in serial form, attracting record audiences. One author in particular fascinated the young Markus: Jeremias Gotthelf, the penname of the nineteenth-century Bernese writer, Albert Bitzius, who wrote about the joys and miseries of rural life in books such as *Uli der Pächter* (*Uli the Farmer*), painting a disarmingly realistic picture of peasant life. But Gotthelf

Robinson Crusoé. La télévision étant à l'époque encore à ses premiers balbutiements, la radio s'impose comme le média d'information et de divertissement le plus populaire. La station nationale Beromünster se distingue notamment par ses pièces radiophoniques de grande qualité, diffusées en feuilleton, qui enregistrent des records d'audience. Un auteur, par-dessus tout, fascine le jeune Markus : Jeremias Gotthelf, pseudonyme de l'écrivain bernois Albert Bitzius qui, au XIXe siècle, a consacré l'essentiel de son œuvre aux heurs et malheurs du monde rural, comme dans *Uli le fermier*, une fresque paysanne d'une authenticité désarmante. Mais Gotthelf a aussi été l'un des premiers à mêler le dialecte bernois à la prose allemande. La simplicité rustique de ses caractères a même eu, pour Thomas Mann, « quelque chose d'homérique ». MR en apprécie surtout la « suissitude » affichée avec aplomb.

## Patrie des bourlingueurs

Pendant l'adolescence, MR élargit peu à peu son horizon littéraire. La radio lui fait découvrir un monde totalement nouveau en diffusant des auteurs contemporains. Dans un magazine suisse destiné à la jeunesse, il tombe sur les souvenirs de la légion étrangère de Friedrich Glauser, dadaïste de la première heure et morphinomane incurable ayant connu tout ce que la Suisse compte de prisons et d'asiles psychiatriques. Considéré parfois comme le Simenon suisse, Glauser est mort en 1938 en Italie à l'âge de quarante-deux ans. Le père de l'inspecteur Studer fascine MR, comme tous les bourlingueurs dont la Suisse semble s'être fait une spécialité : Cendrars, Cingria, Nicolas Bouvier, Ella Maillart ou encore Annemarie Schwarzenbach. De manière générale, les écrivains suisses ont un penchant frappant pour l'exil, ne serait-ce qu'à l'intérieur de la Suisse. Comme pour brouiller les pistes, les deux monuments inséparables et finalement assez complémentaires de la littérature suisse de la seconde moitié du XXe siècle, dont l'œuvre exerce une influence prégnante sur l'univers mental de MR, ont changé de région linguistique : Max Frisch a choisi le Tessin, Friedrich Dürrenmatt Neuchâtel, où, vers la fin de sa vie, il se vouera principalement à son autre passion, la peinture. Même Robert Walser, le Bernois, a été interné les vingt-sept dernières années de sa vie à l'autre bout de la Suisse, en Appenzell. Bien d'autres ont choisi l'étranger : parmi

was also one of the first to mix the Bernese dialect with German prose. Thomas Mann saw 'something Homeric' in the rustic simplicity of his characters. MR particularly appreciated his unabashed Swissness.

## Land of the Footloose

In his teenage years, MR gradually broadened his literary horizon. The radio opened up a completely new world for him by broadcasting the work of contemporary authors. In a Swiss youth magazine, he came across Friedrich Glauser's tales of the foreign legion. Glauser was one of the first Dadaists and an incurable morphine addict who had been in and out of Swiss prisons and mental asylums. Sometimes held to be Switzerland's Simenon, Glauser died in Italy in 1938, at the age of forty-two. The father of Inspector Studer fascinated MR like all the footloose adventurers that seem to be a Swiss specialty: Cendrars, Cingria, Nicolas Bouvier, Ella Maillart or Annemarie Schwarzenbach. Swiss writers seem to have a penchant for exile, if only within Switzerland. As if to cover their tracks, the two inseparable and ultimately complementary monuments of Swiss literature in the second half of the twentieth century, whose work had a vivid influence on MR, both changed linguistic regions: Max Frisch chose Ticino, Friedrich Dürrenmatt, Neuchâtel, where, in his mature years, he devoted himself mainly to his other passion, painting. Even the Bernese Robert Walser was interned for the last twenty-seven years of his life in Appenzell on the other side of Switzerland. Many others went abroad. Among his contemporaries were Philippe Jaccottet, Paul Nizon, Martin Suter, Matthias Zschokke and Peter Bieri, alias Pascal Mercier. Is Switzerland so inhospitable? This chronic literary restlessness is all the more surprising in that the list of authors who came to end their days in Helvetic territory is both prestigious and universal: Joyce, Musil, Thomas Mann, Borges, Hesse, Simenon and even Nabokov, who chose Switzerland as a refuge because 'it has no postal strikes'.

MR read these pillars of world literature with an insatiable curiosity for their narrative styles, but he admits to a few gaping holes, such as Goethe whom he has scarcely touched. And yet, his basic education was fairly classical, as was usual at the time. When he left school, he briefly considered training in graphic design, so he could 'paint posters'.

les contemporains, Philippe Jaccottet, Paul Nizon, Martin Suter, Matthias Zschokke ou encore Peter Bieri, alias Pascal Mercier. La Suisse, un pays inhospitalier ? Ce phénomène de bougeotte littéraire chronique surprend d'autant plus que la liste d'auteurs venus terminer leurs jours en territoire helvétique est aussi prestigieuse qu'universelle : Joyce, Musil, Thomas Mann, Borges, Hesse, Simenon ou encore Nabokov, ce dernier ayant choisi la Suisse comme terre d'asile, entre autres, « parce qu'il n'y a pas de grève de la poste ».

Ces piliers de la littérature mondiale, MR les a lus avec une curiosité inextinguible pour leurs différents styles narratifs, mais il avoue aussi certaines lacunes majeures, comme Goethe, qu'il connaît très peu. Néanmoins, conformément au programme éducatif de son époque, il a une formation de base assez classique. Une fois sa scolarité obligatoire achevée, il pense un instant commencer un apprentissage de graphiste, « pour faire des affiches ». Il choisira finalement de suivre la voie parentale et deviendra, lui aussi, instituteur. À vingt ans, après quatre ans d'école normale (appelée « séminaire » en Suisse), le voilà de l'autre côté de la barrière : il enseigne pendant deux ans et en arrive à la conclusion que ce n'est pas sa tasse de thé. On connaît la suite.

À côté de son travail d'instituteur, MR dispose de suffisamment de temps libre pour vaquer à ses occupations artistiques. Caricaturiste aussi imaginatif que virtuose, à l'humour absurde ou noir, il gagne quelques sous en collaborant à un hebdomadaire satirique suisse, Nebelspalter – littéralement, « fendeur de brouillard ». Ce qu'il fera jusqu'en 1964, avant d'abandonner ce qui n'est pour lui, de toute évidence, qu'un boulot alimentaire. Loin d'être le seul artiste à avoir gagné sa croûte en croquant, il est même, avec Picasso et Duchamp, en excellente compagnie. Au moment d'illustrer Impressions d'Afrique, de Raymond Roussel, pour la maison d'édition allemande Matthes & Seitz, MR s'inspire d'une caricature, repérée autrefois dans le journal, qui reprenait les contours de l'Afrique pour représenter la tête du dirigeant congolais Patrice Lumumba, alors l'espoir de tout un continent. Si l'idée de départ n'est pas de lui, la facture artistique porte indubitablement l'empreinte de son habileté inspirée : tout en conservant l'axe exact

He finally followed in his parents' footsteps and became a school teacher. At twenty, after four years' teacher training at the 'seminary', he found himself on the other side of the fence. After two years he came to the conclusion that teaching was not his cup of tea. The rest is history.

School teaching left him enough time for art work. He was an imaginative and expert caricaturist, with a sense of the absurd and a gallows humour, and earned extra cash by working for a Swiss satirical weekly, the Nebelspalter – literally, the 'fog splitter'. He obviously regarded the job as a pot-boiler and gave it up in 1964. He was far from being the only artist to have earned his living with his cartoons, and was even in excellent company with Picasso and Duchamp. When he was illustrating Raymond Roussel's Impressions d'Afrique for the German publisher Matthes & Seitz, MR took his inspiration from a caricature he had once seen in the paper, which used the outline of Africa to represent the head of the Congolese leader Patrice Lumumba, who embodied the hope of an entire continent at the time. Although the original idea was not his, the finished drawing was typical of his inspired cleverness: he managed to fit three heads with different expressions into the exact outline of the continent. Even the strictest constraint could not cramp his imagination.

## A Self-made Man

With no formal training in art apart from drawing lessons at school and later an introduction to engraving techniques at the Gerrit Rietveld Academy in Amsterdam, MR is a real autodidact. He learned by observing and listening, absorbing and remembering what he saw or heard. His father liked to draw and produced hilarious caricatures which fired the boy's already wild imagination. Apart from occasionally writing satirical articles for the local carnival, his father also regularly played the piano, like the rest of the family, except for Markus, who chose the violin. He played it laconically for thirteen years, but seems to feel that the 'most beautiful sound next to silence' is undeniably that of the piano. It is hardly surprising to discover that he sometimes listens to Bill Evans on repeat in his studio, or that he never tires of Bach's vertiginous fugues. He first encountered jazz through Swing Serenade broadcast on Radio Sottens in the evenings, when he was a teenager, and it opened new horizons for him, triggering

de la carte africaine, MR réussit à graver, sur une planche de cuivre, trois têtes, chacune d'une expression différente. Pas la moindre contrainte, aussi stricte soit-elle, ne bride alors son imagination.

## Autodidacte pure souche

N'ayant suivi aucune formation artistique en dehors des cours de dessin dispensés à l'école et, plus tard, d'une initiation aux techniques de la gravure à l'académie Gerrit Rietveld d'Amsterdam, MR est ce que l'on pourrait appeler un autodidacte pure souche. Il apprend par lui-même en observant, en écoutant, en assimilant et en retenant ce qu'il a vu ou entendu. Son père, qui aime bien dessiner, réussit surtout des caricatures tordantes qui alimentent l'imagination déjà débordante du petit garçon. Auteur occasionnel d'articles satiriques pour le journal du carnaval local, le père joue aussi régulièrement du piano, comme le reste de la famille, à l'exception de Markus qui a opté pour le violon. Sans conviction, il le pratique tout de même durant treize ans, mais c'est incontestablement le piano qui semble incarner « le plus beau son après le silence ». Il n'est guère étonnant d'apprendre qu'il écoute parfois Bill Evans en boucle dans son atelier, ou s'abandonne, sans jamais s'en lasser, à l'écoute des fugues vertigineuses de Bach. Découvert dès son adolescence grâce à « Swing Serenade », émission diffusée le soir sur Radio Sottens, le jazz lui ouvre de nouveaux horizons correspondant à autant d'états mentaux, de sensations aériennes, d'aspirations vers la liberté. Il se souvient du fumoir du séminaire où, dans une fumée à couper au couteau et dans une atmosphère aussi survoltée qu'asphyxiante, les étudiants écoutaient le dernier Miles Davis.

Quant à son bagage littéraire, à l'issue de ses études, il n'inclut même pas Kafka, absent des programmes. « En revanche, on lisait Gottfried Keller avec plus de précision », se souvient MR plus d'un demi-siècle plus tard. Tous les dix ans environ, il relit d'ailleurs *Henri le Vert*, qu'il revit à chaque fois différemment. À l'instar du *Wilhelm Meister*, de Goethe, auquel on le compare souvent, il s'agit d'un roman de formation. Et comme *Portrait de l'artiste en jeune homme*, de Joyce, il traite des conflits de conscience et des questionnements esthétiques d'un artiste en devenir. Mais contrairement au poète de Joyce (qui a traduit un

other states of mind, an airy feeling and a longing for freedom. He remembers the smoking room in the seminary where the students used to listen to the latest Miles Davis in a fug of smoke and excitement.

His reading lists as a student did not even include Kafka. 'But we went more deeply into Gottfried Keller', MR remembers over half a century later. Every ten years or so he rereads *Der Grüne Heinrich* (*Green Henry*) and sees it differently each time. Like Goethe's *Wilhelm Meister*, with which it is often compared, it is a novel of apprenticeship. And like Joyce's *Portrait of the Artist as a Young Man*, it deals with the soul searching and torments of an artist in the making. But unlike Joyce's poet (who translated one of Keller's poems for *Finnegan's Wake*), Keller's hero was a fledgling artist. Hence the intense fascination MR felt each time he read the novel.

## When the Bear Awakes…

In the second half of the 1960s, Bern was in ferment and became a hotbed of international contemporary art. Just back from Paris, where he had finished his studies, the young Bernese director, Harald Szeemann, brought a gust of fresh air into the Kunsthalle, sweeping aside the established ideas of the time. He invited artists who soon became the cream of the art world without neglecting local talents, including MR whom he would regularly invite to exhibit at the gallery all his life. The Kunsthalle hosted sound poetry sessions, performances, happenings, and once, in the middle of a 'Swinging London' exhibition of young sculptors, a fashion show with a collection entirely designed and made by MR's future wife, Monika, who had trained as a dress designer. In 1968, for its fiftieth anniversary, the institution was the first public building to be wrapped up by Christo. In 1969 came 'Live in Your Head: When Attitudes Become Form', a now mythical exhibition, which at the time was slated by the critics and snubbed by the public. But to MR's mind, the attitude that year took the shape of Amsterdam.

MR knocked around a bit before he settled down. When the sixties were in full swing, even for the Bernese whose slowness is a standing joke in Switzerland, Markus and Monika decided to move to Amsterdam. Perceiving that German was grudgingly received by the generations that

poème de Keller pour *Finnegans Wake*), c'est un peintre qui se cherche chez l'auteur zurichois, ce qui explique probablement la fascination intense éprouvée par MR à chaque relecture.

## Quand l'ours se réveille…

Dans la seconde moitié des années 1960, Berne est en pleine effervescence et devient même l'un des fiefs les plus vivants de l'art contemporain international. Fraîchement débarqué de Paris où il a terminé ses études, le jeune directeur bernois Harald Szeemann fait souffler sur la Kunsthalle un vent qui va balayer tous les acquis et toutes les certitudes de l'époque. Il y invite ce qui sera bientôt la fine fleur du monde de l'art, sans pour autant négliger de soutenir et d'exposer les créateurs locaux, dont MR, qu'il va solliciter durant toute sa vie pour ses projets d'exposition. La Kunsthalle accueille des soirées de poésie sonore, des performances, des happenings et même, un soir, au beau milieu d'une exposition de jeunes sculpteurs très *Swinging London*, un défilé de mode avec une collection entièrement dessinée et confectionnée par la future femme de MR, Monika, couturière de formation. En 1968, à l'occasion de son cinquantième anniversaire, l'institution est le premier édifice public à être emballé par Christo. En 1969, enfin, s'y déroule une exposition, aujourd'hui mythique mais à l'époque passablement chahutée par les critiques et snobée par le public : « Live in your head : when attitudes become form ». Dans la tête de MR, cette même année cependant, l'attitude a pour nom et forme Amsterdam.

Avant de se sédentariser, MR a pas mal roulé sa bosse. Alors que les années 1960 battent leur plein, même et surtout pour ces Bernois généralement moqués en Suisse pour leur lenteur, Markus et Monika décident d'aller vivre à Amsterdam où, constatant que la langue allemande est plutôt mal perçue par les générations ayant vécu la guerre, ils apprennent vite à se débrouiller en néerlandais. Ils s'y marient et, en 1972, naît leur fille, Aimée, qui souffre d'un lourd handicap que ses parents ne découvrent qu'au fil du temps. Communiquer et échanger des émotions sans passer par la parole est à la fois un défi et une leçon de sensibilisation permanente. MR se dit profondément marqué et

had lived through the war, they quickly learned to get by in Dutch. They married in Amsterdam and their daughter, Aimée, was born in 1972. The girl's severe handicap gradually became apparent. Communicating and conveying feelings without using words is both a challenge and a lesson in constant awareness. MR says he was deeply marked and influenced by Aimée's ability to express her feelings by facial expressions.

## Riches from Elsewhere

But the south beckoned. Markus and Monika left Amsterdam for Carboneras in Spain and then crossed Morocco to Essaouira, where in the course of a psychedelic party a local hippie recited verses by Omar Khayam on every form of drunkenness. In 1973, the little family rather regretfully left the Venice of the North and moved to Ticino, in Italian Switzerland. The little village of Carona was then invaded by a more or less artistic and almost entirely German-speaking crowd: painters, poets, musicians, hippies, idealists… Meret Oppenheim lived in a little *palazzo* there. The 'artists' community', then in vogue, was not really to MR's taste, but the southern landscape offered him the ideal spiritual environment for delving into the work of Henry David Thoreau, the champion of disobedience and fierce opposition to a nineteenth century he judged 'so agitated, busy and trivial'.

After three years south of the Alps, the family finally settled in Bern, believing that Aimée would be better cared for there. But before they moved, MR fulfilled a long-term dream by travelling alone to Egypt; the journey was a complement to his near-Stakhanovist feat of wading through the four thick volumes of *Joseph and his Brothers*, in which Thomas Mann, like a magician, conjured up the origins of the Biblical stories. MR's first three months in Egypt in 1975 marked him profoundly, and not only because of the hieroglyphics. He stayed with Sheik Ali near Luxor and his host was so impressed by the tiny objects he carved that he offered him a job making antiquities for his bazaar. Then, in 1978, MR discovered the New World and the Far West: New York, Chicago, Los Angeles, San Francisco, Las Vegas, Phoenix, Zabriskie Point.

From the 1970s, the story of his life merges with his work. Apart from regular stays in Ramatuelle, where the Raetzs

influencé par la capacité d'Aimée à exprimer son état d'être avec son visage.

## Richesses de l'ailleurs

Mais le Sud appelle. D'Amsterdam, Markus et Monika partent pour Carboneras, en Espagne, puis poursuivent à travers le Maroc jusqu'à Essaouira, où un hippie local leur fait découvrir, au cours de « jouissances féeriques », les quatrains d'Omar Khayam, essentiellement dédiés à l'ivresse sous toutes ses formes. En 1973, la petite famille quitte, non sans regret, la Venise du Nord, pour s'installer au Tessin, en Suisse italienne. Le petit village de Carona est alors envahi par une faune plus ou moins artistique et presque exclusivement germanophone : peintres, poètes, musiciens, hippies, idéalistes. Meret Oppenheim y habite un petit *palazzo*. La « communauté d'artistes », alors en vogue, n'est pas trop du goût de MR, mais la proximité de la nature, en l'occurrence méridionale, lui offre le climat spirituel idéal pour se plonger dans l'œuvre de Henry David Thoreau, placée sous le signe de la désobéissance et de la farouche opposition à un XIXᵉ siècle à ses yeux « si nerveux, affairé, trivial ».

Après trois ans passés au sud des Alpes, persuadée qu'Aimée y serait mieux soignée, la petite famille s'installe définitivement à Berne. Mais avant, MR s'accorde un grand voyage en solitaire en Égypte, dont il a toujours rêvé, et qui complète la lecture quasi stakhanoviste du pavé en quatre volumes de *Joseph et ses frères*, dans lequel Thomas Mann remonte, tel un illusionniste, aux origines des légendes bibliques. Ce voyage de trois mois en Égypte, en 1975, marque profondément MR, et pas seulement à cause des hiéroglyphes. Il est hébergé près de Louxor par cheikh Ali, qui, épaté par les minuscules objets que sculpte son hôte helvétique, lui propose de confectionner des « antiquités » pour son bazar. En 1978 enfin, MR découvre le Nouveau Monde et le Grand Ouest : New York, Chicago, Los Angeles, San Francisco, Las Vegas, Phoenix, Zabriskie Point.

À partir de la fin des années 1970, la biographie se confond avec l'œuvre. Hormis les séjours réguliers à Ramatuelle, où les Raetz ont l'habitude depuis près de quarante ans de passer du bon temps par temps variable, les voyages à l'étranger sont à présent presque toujours

had been going for nearly forty years in all seasons, his trips abroad were almost all connected to exhibition projects. Naples, Paris, New York, London, Lisbon, Valencia, Milan, Cologne, Helsinki… and other surprising and unlikely places far from the noise of the great cities: Altenburg, Gravelines, Amherst, Poschiavo and even the remote Lofoten Islands.

## A Library in Flames

After taking his irreversible decision to live for and by his art, in 1963, he lived in Bern, in a cheap garret that his mother had found through acquaintances. It was in the city centre in the attic of a town house with a pet shop on the ground floor, an exotic touch for a city with the bear as its emblem. When a student living in an adjacent garret moved out, MR took it over and gradually cleared the attic of junk. He progressively made himself a 'species of space' that suited an imagination teeming with ideas, concepts and projects. An inhabited, welcoming place, brimming with life and art.

But disaster struck on 18 October 1977. At dawn, fire broke out for reasons that have never been elucidated. Although the fire brigade was quick off the mark, the upper floors and MR's workshop in particular, were destroyed. Everything burned: everything he had drawn, modelled or just scribbled a few days or even hours before, photos, souvenirs, knick-knacks, press cuttings, magazines and, worst of all, his entire library, including the twelve volumes of the complete works of his beloved Robert Walser, and his books from the Beat Generation, concrete poetry and *tutti quanti*. And yet, in the face of what anybody with a little sensitivity would consider an unspeakable calamity, MR stood coolly among the bystanders. He even looked calm. Admittedly he had had a little pick-me-up at the Café Brésil next door, but was keenly conscious of having escaped the worst by not being there when the fire broke out. More importantly, he had another good reason to rejoice: most of his work had escaped from the flames. By coincidence, or hand of God, Bern's two great art institutions had honoured him at the critical moment with a double exhibition. Unprecedented in the federal capital for a living artist, the Fine Arts Museum, at the time still proud of owning the biggest collection of Klee's works in the world,

7    *Flourish*
Héliogravure sur chine collé
Photogravure on *chine collé*
2001 [cat. 141]

liés à des projets d'exposition : Naples, Paris, New York, Londres, Lisbonne, Valence, Milan, Cologne, Helsinki… Et d'autres lieux parfois surprenants sinon improbables, à l'écart du bruit des grandes métropoles : Altenburg, Gravelines, Amherst, Poschiavo ou encore les peu connues îles Lofoten.

## Une bibliothèque en feu

Après sa décision irréversible, en 1963, de vivre pour et par son art, MR occupe une mansarde peu chère que sa mère lui a trouvée, par relations, en plein centre-ville de Berne, sous les combles d'une maison bourgeoise dont le rez-de-chaussée est occupé par une animalerie – passablement exotique pour une ville qui a l'ours comme emblème. Lorsque la seconde mansarde, jusqu'alors occupée par un étudiant, se libère, MR la reprend et désencombre progressivement le grenier de ses objets aussi abandonnés qu'inutiles, se créant ainsi, au fur et à mesure, une « espèce d'espace » propice à son inspiration fourmillante d'idées, de concepts, de projets ; un lieu habité, accueillant, gorgé de vie et d'art.

Mais tout bascule le 18 octobre 1977. Le matin, à l'aube, un incendie se déclare pour des raisons encore mystérieuses à ce jour. Malgré l'intervention rapide des pompiers, le haut de l'immeuble, et plus particulièrement l'atelier de MR, ne peut être sauvé. Tout brûle : ce qu'il a dessiné, modelé ou seulement griffonné quelques jours ou heures auparavant ; les photos, souvenirs, bibelots, extraits de presse, revues ; et, surtout, sa bibliothèque, dont les douze tomes des œuvres complètes de son cher et tant aimé Robert Walser, ses livres de la Beat Generation, la poésie concrète et *tutti quanti*. Et pourtant, face à ce que n'importe quelle âme quelque peu sensible considérerait comme une catastrophe sans nom, MR ne donne pas l'impression, au milieu des badauds, d'être un homme abattu. Il paraît même serein. Certes, il s'accorde un petit remontant au café Brésil, à côté, mais il est conscient d'avoir échappé au pire en étant absent au moment de l'incendie. Il a surtout une autre raison majeure de se réjouir : son œuvre a en grande partie échappé aux flammes. Pure coïncidence ou intervention divine, les deux grandes institutions d'art de Berne lui consacrent, précisément à ce moment, une double exposition. Du jamais vu dans la ville fédérale pour un

presented a retrospective focused mainly on his drawings; the Kunsthalle showed his latest works, a number of monumental paintings executed in his cramped attic studio.

As the essential was saved, the next stage proved at first promising and then increasingly reassuring. MR moved definitively into 7 Engestrasse ('narrow street'!) and found a spacious studio that matched his ambitions. At thirty he was enlightened and adventurous and already a recognised contemporary artist. All that was missing was international recognition, which came from 1980 onwards, although he caught the eye of connoisseurs from the moment he took part in the legendary Documenta 5 show, in the 'Individual Mythologies' section.

## Itchy Feet

One of the first things he did after the salutary fire in 1977 was to replace Walser's complete works. The edition that had gone up in flames had been his constant companion in Amsterdam, Spain and even Morocco. He could not and would not do without it; he was and still is literally imbibed and bewitched by Walser's erratic writing. MR loves to wander with Walser, a fellow Seelander, setting off without knowing where his mental stroll will take him. An itinerary without a destination, precarious correspondences, unpredictable twists, unsuspected forked paths, the digressions of a unique literary specimen who was not really so mad, but a translator's nightmare because of German's stylistic peculiarity of postponing the action until the end of the sentence. In 1990–1, MR was commissioned by the Lyons Club in Bienne to produce a relief which now stands in front of the Neuhaus Museum. It represents Walser in lost profile with a carefully chosen quote from the writer engraved on the iron railing beside the Suze: 'All sorts of people pass in front of you, known and unknown. I myself am sometimes known and sometimes unknown.'

## The Zany Twists of Life

In his 'leisure' library (in opposition to the 'specialist literature' in his studio) *The Life and Opinions of Tristram Shandy* has a special place. MR has several editions of Laurence Sterne's famous work, one dated 1773. As well as its innovative typography, eccentric punctuation or again Corporal Trim's flourish in the last volume, which

artiste vivant : le musée des Beaux-Arts, encore fier à l'époque de posséder la plus riche collection de Klee au monde, présente une rétrospective principalement axée sur ses dessins ; la Kunsthalle, quant à elle, expose ses derniers travaux, de monumentales peintures exécutées dans son grenier-atelier exigu.

L'essentiel était sauvé. La suite sera d'abord prometteuse, puis de plus en plus rassurante. MR s'installe définitivement à l'Engestrasse 7 (« rue étroite » !) et trouve un atelier spacieux à la hauteur de ses ambitions. Trentenaire éclairé et éclaireur, il est un artiste contemporain reconnu. Ne lui manque plus alors que la reconnaissance internationale, qui viendra à partir de 1980, même s'il a été remarqué par les connaisseurs dès sa participation à la légendaire Documenta V, département « Mythologies individuelles ».

## Attirance pour l'errance

L'un de ses premiers actes après l'incendie finalement salutaire de 1977 est de remplacer l'édition complète de Walser – celle qui a brûlé l'avait accompagné à Amsterdam, en Espagne et même au Maroc. Il ne peut ni ne veut s'en passer, littéralement imprégné et envoûté par l'écriture erratique de l'auteur, seelandais comme lui. MR aime dériver avec Walser, partir sans savoir où la promenade mentale le conduira. Parcours sans destination, correspondances incertaines, détournements imprévisibles, bifurcations insoupçonnées, digressions d'un spécimen littéraire unique et pas si fou que ça, mais difficilement traduisible à cause d'une originalité stylistique propre à l'allemand où l'action n'est déterminée qu'en fin de phrase. Sur commande du Lyons Club de Bienne, MR réalise, en 1990-1991, un relief – installé devant l'actuel musée Neuhaus – qui représente le profil perdu de Walser accompagné d'une citation de l'écrivain minutieusement choisie, gravée sur la balustrade en fer au bord de la Suze : « Toutes sortes de personnes connues et inconnues passent devant toi. Je suis moi-même tantôt connu, tantôt inconnu. »

## La vie avec ses ondulations bizarres

Dans sa bibliothèque « récréative » (par opposition à la bibliothèque de « littérature spécialisée » de l'atelier), *La Vie et les opinions de Tristram Shandy* occupe une

was a source of inspiration for MR, the edition is superbly illustrated with engravings by Hogarth, whom Lichtenberg had approached in the hope of meeting Sterne. What fascinates MR in this unfinished novel is the interactive relationship with the reader; the art of digression is taken to the extreme through a narrative technique which cocks a snoot at chronology but never loses the thread. Even a reader attentive to the finest details, as MR is, will wait in vain for the much promised 'chapter upon chambermaids and button-holes'. The volumes of the book were published in instalments between 1759 and 1767, and sparked such a craze that *Tristram Shandy* became a sort of registered trademark before its time, used for a new lettuce, a card game and racehorses. Sterne was also extensively plagiarised, an irony of fate or one of history's sly digs, because he himself freely quoted whole passages from Robert Burton's *Anatomy of Melancholy* without acknowledging them. In 2009, Pierre Bayard turned the accusation on its head and claimed that Sterne was a 'plagiarist by anticipation' of Joyce.

MR was impressed to see Sterne take up a pen to draw what seemed to elude his powers of description. But it would be to underestimate the artist to restrict Corporal Trim's famous flourish solely to its graphic signification. The strange squiggle is followed by a startling statement: 'My father, with a thousand of his subtle syllogisms could not have better stated the case for celibacy.' Balzac, in 1831, gave another meaning to the slightly modified version of the drawing he put at the head of his *Peau de chagrin* (*The Magic Skin*): '… life with its strange undulations, its wandering path and its serpentine allure…'.

## Life and Death of the Bernese Joyce

Far from being insensitive to poetry and perhaps precisely because poetry is omnipresent in his approach to art, MR prefers prose to verse, even if he owns a copy of *Cent Mille Milliards de Poèmes*. In the 1960s, not entirely convinced by Lettrism, he discovered new graphic, visual and sonorous forms of poetry. The concept of 'concrete poetry', invented by Eugen Gomringer in Bern in 1954, after a visit to a Max Bill exhibition, was slow to take hold. In the first stage, the movement developed in Brazil and *concretismo* even invaded the bossa nova. When he was twenty-two, MR made friends with Rolf Geissbühler,

place à part. MR possède plusieurs éditions du célèbre ouvrage de Laurence Sterne, dont l'une de 1773. En plus des innovations typographiques, de la ponctuation pour le moins originale ou encore du mystérieux moulinet du dernier tome qui inspirera MR, l'édition est superbement illustrée par des gravures de Hogarth, que Lichtenberg avait abordé dans l'espoir de rencontrer Sterne. Ce qui passionne MR dans ce roman resté inachevé, c'est le rapport interactif avec le lecteur à travers l'art de la digression, poussé ici à son maximum grâce à une technique narrative qui fait fi de toute chronologie sans jamais perdre le fil (même si le lecteur attentif aux moindres détails qu'est MR attendra par exemple vainement l'histoire sur les boutons, pourtant maintes fois promise). À sa sortie, échelonnée entre 1759 et 1767, l'ouvrage suscite un engouement phénoménal, au point de faire de *Tristram Shandy* une marque déposée avant la lettre, pour ainsi dire, désignant, entre autres, une nouvelle salade, un jeu de cartes et des chevaux de course. Sterne est aussi beaucoup plagié, ironie du sort ou clin d'œil amusé de l'histoire quand on sait qu'il n'a pas hésité à citer des passages entiers de *L'Anatomie de la mélancolie*, de Robert Burton, sans le mentionner. En 2009, Pierre Bayard renverse la vapeur et fait de Sterne un « plagiaire par anticipation » de Joyce.

MR trouve épatant que Sterne ait dessiné de ses propres mains ce qu'apparemment toutes ses facultés descriptives ne lui permettaient pas d'exprimer. C'est mal connaître le plasticien que de limiter à son seul aspect graphique la signification du fameux moulinet dessiné dans l'air avec un bâton par le caporal Trim. L'étrange signe sinueux est suivi d'une explication pour le moins surprenante : « Mon père, avec un millier de ses subtils syllogismes, n'eût pas mieux plaidé la cause du célibat. » Balzac, qui en 1831 place ce dessin légèrement modifié au début de sa *Peau de chagrin*, lui donne un autre sens : « […] la vie avec ses ondulations bizarres, avec sa cause vagabonde et son allure *serpentine*, […]. »

## Vie et mort du « Joyce bernois »

Loin d'être insensible à la poésie, et peut-être parce que celle-ci est omniprésente dans sa démarche artistique, MR préfère la prose au vers, même s'il possède *Cent mille milliards de poèmes*. Moyennement convaincu par

a young accountant in a department store who was keen on the new wave of poetry breaking over the German-speaking world in general, and Bern in particular. Rolf arrived in Markus' studio one day with a typically but involuntarily Oulipien list of flowers, all real but most unlikely, which he then interspersed with plausible but fictitious names. He also composed visual poems on the typewriter which indirectly led MR to create *Portrait des Künstlers als Schreibmaschinist* (Portrait of the Artist as a Typist), in 1970. An obvious mutual influence. Geissbühler later wrote radio plays and published almost incomprehensible, or even illegible, books of quite stunning linguistic density. After deconstructing, remodelling and finally exhausting the language itself, Geissbühler had himself interned in a hospice where he ceased to write but made mysterious wooden reliefs. He died at the end of 2010 at the age of sixty-nine. Like Walser, on Christmas Day. In Zurich he was known as the Bernese Joyce.

## Port of Trst, a Writers' Haven

As an exception to the rule of dividing their time between trips to exhibitions and stays at Ramatuelle, the Raetzs spent a delightful week in 2004 in… Trst, the Slovene name for Trieste. Gateway to the Balkans and once Italy's main port, Trieste, more than any other city, incarnates the incongruities and injustices of History. A rich mix of cultures and languages, Trieste was also the nerve centre of twentieth-century world literature. But a taste for decadent grandeur and the ability to tolerate the sirocco and bora are essential for those who seek to enter into the spirit of this disconcerting place. MR avidly read Claudio Magris and Umberto Saba to soak up their descriptions of the sky and the surrounding countryside, before discovering them with his own eyes.

Joyce spent at Trieste what were probably the crucial years of his life as a writer. His ten-year exile there was interrupted only by a few fleeting trips to Dublin and a disappointing jaunt to Rome. The Irishman made friends with Italo Svevo, the pen name of Ettore Schmitz, who was forever trying to give up smoking. Svevo was Joyce's model for Bloom in *Ulysses*. When he landed on the Dalmatian coast in 1905, Joyce was still years away from his great work. A magazine had rejected a

le lettrisme, il découvre vers le milieu des années 1960 de nouvelles formes poétiques, notamment graphiques, visuelles, sonores. Le concept de « poésie concrète », inventé en 1954 à Berne par Eugen Gomringer après la visite d'une exposition Max Bill, mettra du temps à s'imposer. Dans un premier temps, c'est au Brésil que le mouvement prend de l'ampleur, le *concretismo* inspirant même la bossa-nova. À vingt-deux ans, MR se lie d'amitié avec Rolf Geissbühler, jeune comptable d'un grand magasin et adepte de cette nouvelle vague qui déferle sur le monde germanophone et plus particulièrement sur Berne. Rolf débarque un jour dans l'atelier de Markus avec une liste typiquement mais involontairement oulipienne de noms de fleurs, les plus improbables et pourtant véridiques, auxquels il va mêler des termes tout à fait vraisemblables et néanmoins fictifs. Il compose également des poèmes visuels à la machine à écrire qui conduiront indirectement MR à créer, en 1970, un *Portrait de l'artiste en dactylographe*. Influence réciproque manifeste. Plus tard, Geissbühler écrira des pièces radiophoniques et publiera des pavés quasiment incompréhensibles, voire illisibles, d'une densité linguistique étourdissante cependant. Après avoir déconstruit, remodelé et, finalement, épuisé la langue elle-même, Geissbühler se fera interner dans un hospice où il n'écrira plus un mot mais réalisera d'insondables reliefs en bois. Rolf Geissbühler est mort fin 2010 à l'âge de soixante-neuf ans. Le jour de Noël pour être précis, comme Walser. Les Zurichois l'appelaient le « Joyce bernois ».

## Trst : un port devenu havre des écrivains

Exception à la règle du partage des voyages entre ceux liés aux expositions et les séjours à Ramatuelle, la charmante semaine passée en 2004 par les Raetz à… Trst, Trieste en slovène. Comme aucune autre ville, cette porte des Balkans et ancien port principal d'Italie incarne les incongruités et les injustices de l'histoire. Savoureux bouillon de cultures et de langues, la ville a fait couler beaucoup d'encre en tant que centre névralgique de la littérature mondiale du xxᵉ siècle. Il faut savoir aimer l'atmosphère de grandeur décadente et supporter le sirocco et la bora qui y soufflent pour pénétrer l'esprit de cette plaque tournante et déroutante. MR lit avidement Claudio Magris et Umberto Saba pour s'imprégner de leurs descriptions du ciel et des paysages des environs avant de les découvrir de ses propres yeux.

piece he had written, so he decided to turn it into a novel. As *Portrait of the Artist as a Young Man*, it explored the formative years of the hero Stephen Dedalus (a transparent reference to the architect of the maze of the Minotaur) trying to shake off the double yoke of religion and nationality, and his artistic quest. Like Lewis Carroll before him ('Poeta Fit, Non Nascitur'), Joyce thought that artists were made, not born. MR certainly showed early promise, as the childhood drawings carefully kept by his parents prove. But he needed to go through the baptism of fire of real artistic conviction before he was really free to create.

## Vigoleis' Well Meant Misunderstandings

While he is doing fiddly, repetitive manual work, MR likes to listen to the radio, no matter what, as long as it is interesting. So, quite by chance, one afternoon in 2003, he heard excerpts from the work of an obscure writer called Albert Thelen, who went under the curious pen name of Vigoleis. Another indefatigable traveller, but this time a German, who had knocked about a bit and travelled the world, driven to other shores by the pressure of war: six years in Majorca, nine in Portugal, seven in Amsterdam and twenty in Switzerland, firstly in Ticino and then on the shores of Lake Geneva. He earned his living translating from some ten languages and doing odd jobs. Although he has now been forgotten, Thelen wrote and published continuously, especially small editions of poetry, until he died in his homeland, in 1989, at the age of eighty-five. His main work, *Die Insel des zweiten Gesichts* (*The Island of Second Sight*, tr. Donald O. White, Galileo Publishers, 2010) — for which he was hailed as one of the most promising writers in German literature of the post-war period — is an autobiographical adventure story recounting the tribulations of a young immigrant couple on Majorca. Brimming with stylistic inventions, sometimes unintentional because of his tenuous grasp of Spanish giving rise to hilarious misunderstandings, the novel is infused with superb irony which takes the reader on an imaginary picaresque jaunt. Thelen incidentally invented all sorts of weird gadgets and was finally honoured with the title of 'Professor'. Professor Calculus? No matter, a title vague enough to appeal to MR.

Joyce passe sans doute à Trieste les années cruciales de sa vie d'écrivain. Seuls quelques voyages éclair à Dublin et un court séjour romain décevant viendront entrecouper ses dix ans d'exil triestin. L'écrivain irlandais se lie d'amitié avec Italo Svevo, de son vrai nom Ettore Schmitz, qui n'arrête pas de vouloir arrêter de fumer. Svevo servira de modèle à Joyce pour le Bloom d'*Ulysse*. Lorsqu'il débarque en 1905 sur la côte dalmate, Joyce est encore loin de son œuvre maîtresse. Un texte lui ayant été refusé par une revue, il décide d'en faire un roman, ce sera *Portrait de l'artiste en jeune homme*. Il y est question des années qui furent déterminantes pour le héros, Stephen Dedalus (référence appuyée à l'architecte du labyrinthe du Minotaure), dans sa recherche pour se libérer du double joug religieux et national et dans sa quête artistique. Comme avant lui Lewis Carroll (« Poeta fit, non nascitur »), Joyce pense qu'on ne naît pas artiste, mais qu'on le devient. MR était certes doué, très tôt déjà ; ses dessins d'enfant, précieusement conservés par ses parents, le prouvent. Mais il lui faudra se soumettre au baptême du feu de la conviction artistique avant de pouvoir accéder à une création affranchie.

## Les malentendus bien vus de Vigoleis

Lorsqu'il exécute un travail artisanal fastidieux et répétitif, laissant libre cours à ses pensées, MR aime bien écouter des émissions à la radio. Peu importe le sujet, pour autant qu'il soit digne d'intérêt. Ainsi, c'est par hasard qu'un après-midi de 2003, il entend des extraits d'un auteur inconnu au bataillon, Albert Thelen, affublé d'un sobriquet plutôt insolite : Vigoleis. Encore un bourlingueur, mais cette fois-ci d'origine allemande, qui a vu du pays, sans cesse chassé par les guerres vers d'autres rivages : six ans à Majorque, neuf au Portugal, sept à Amsterdam et vingt en Suisse, d'abord au Tessin, puis sur les bords du Léman. Il gagne sa vie en faisant des traductions à partir d'une dizaine de langues et en exerçant d'innombrables petits boulots. Plus ou moins tombé dans l'oubli aujourd'hui, Thelen n'a cessé d'écrire et de publier, surtout des recueils poétiques à tirage limité et plutôt confidentiels, et ce jusqu'à sa mort en 1989, à quatre-vingt-cinq ans, dans son pays d'origine. *L'Île du second visage*, son principal ouvrage — qui lui a jadis valu d'être traité comme l'un des talents les plus prometteurs de la littérature allemande de l'après-guerre —, est un roman d'aventures autobiographique qui raconte les tribulations d'un jeune

## A Literary Omnivore

Even if his passion for fiction dominates, we must not overlook the 'specialist literature' which has nourished MR's mind since the end of his studies. He knows Leonardo da Vinci like the back of his hand, is bewitched by Chinese painting and still today occasionally dives into mathematical treatises, studies of perspective or illustrated dictionaries of natural science, without forgetting art books and exhibition catalogues.

Reading can be bulimic, sometimes with no correlation between the content and quality of the food for thought. This is not the case for MR who, like a true gourmet, knows how to appreciate the value of what he is served. So in the 1960s, when he was going through a phase of frantic consumption of two genres then in full flight – science fiction and detective stories – he was not content with anything second rate. As well as Glauser, a favourite from his teenage years, he devoured Agatha Christie and nibbled at Maigret before getting his teeth into the American founders and masters of the genre: Dashiell Hammett and Raymond Chandler. He was gripped by their intricate, often obscure plots, but they unfolded in a carefully honed, dry style which gave the genre its letters of nobility. If he liked an author's first book, he would keep reading him, sometimes for years, until he wore himself out.

To be more exhaustive we would have to mention many other facets of literature that MR was particularly fond of, depending on his whims and moods. A place would sometimes dictate what he read: during the year he spent in Berlin in 1982, he soaked up Theodor Fontane's conversational style and social criticism. Incidentally, Fontane was buried in the cemetery of the French community in Berlin-Mitte, because his mother's family were Huguenots. Before travelling to Lisbon, MR dwelt for a time in Pessoa's melancholic world. In Sebald's work, he particularly admired the interminable descriptions of landscapes, while appreciating the for once justifiable combination of illustrations and text.

## Obvious Unintentional Affinity

An early advocate of creation under constraint and an inventor of startling solutions, MR was an Oulipien even

couple immigré sur l'île de Majorque. Truffé de trouvailles stylistiques, parfois involontaires en raison de sa maîtrise approximative de l'espagnol donnant naissance à toutes sortes de malentendus hilarants, le roman est imprégné d'une ironie souveraine qui embarque le lecteur vers un rocambolesque vagabondage mental. Thelen, par ailleurs, a inventé toutes sortes de machines bizarres et a fini par être reconnu comme « Professor ». Tournesol ? Peu importe : une appellation suffisamment vague pour séduire MR.

## Omnivore littéraire

Même si sa passion pour la fiction prédomine, n'oublions pas toute la « littérature spécialisée » qui alimente depuis la fin de ses études l'esprit de MR. Il connaît Léonard de Vinci sur le bout des doigts, s'est laissé envoûter par la peinture chinoise, et continue jusqu'à aujourd'hui de se plonger parfois dans des traités mathématiques, des études de perspective ou des dictionnaires illustrés de science naturelle, sans oublier, évidemment, les livres d'art et les catalogues d'exposition.

La lecture peut devenir boulimique, quels que soient le contenu et la qualité de la nourriture intellectuelle qu'elle procure. Il n'en est rien pour MR qui, en gourmet, sait apprécier à sa juste valeur ce qui lui est servi. Ainsi, dans les années 1960, lorsqu'il traverse une phase de consommation quasi frénétique de deux genres alors en plein essor, la science-fiction et le polar, il ne se contente pas d'un second choix. En plus de Glauser, découvert dès l'adolescence, il dévore Agatha Christie et se familiarise avec Maigret, avant d'aborder les fondateurs et maîtres américains incontestés du genre : Dashiell Hammett et Raymond Chandler. Non seulement leurs intrigues alambiquées, sinon confuses, le tiennent en haleine, mais elles sont développées dans un style élaboré, épuré et sec qui a donné au genre ses lettres de noblesse. Quand il aime le premier livre d'un auteur, MR ne s'arrête jamais là et en redemande, jusqu'à rester des années en compagnie du même écrivain, quelquefois jusqu'à épuisement.

Pour être plus exhaustif, il faudrait évoquer bien d'autres facettes de la littérature que MR affectionne plus particulièrement, selon son humeur et son envie. Un lieu lui dicte parfois sournoisement sa lecture : pendant

before he had heard of the exclusive club of word jugglers. He read Calvino without knowing that he belonged to the movement and – probably before Harry Matthews – drew up lists of homographs whose meaning changes from one language to another. In 1979, four years before discovering the Ouvroir de Littérature Potentielle, MR even met a formidable challenge in creating *i !*, brilliantly confirming the Oulipien statement that 'the anthology of poems with no words would easily fit on a postage stamp'. In this 'poem' jotted in one of his notebooks, the characters are perfectly reversible, but more than that, the exclamation mark gives the combination multiple meanings. In Swiss German, at least, 'i !' can be pronounced in various ways to express fear, astonishment, warning or annoyance. MR could be regarded as an unconscious plagiarist, a *NewLipien*, a tireless and unclassifiable researcher, finding what others have found before him. Or as the Dadaists said: 'dada war da bevor dada da war' (There was Dada before Dada was there).

Chance sometimes takes a hand and complicates things for us. After hearing enthusiastic (insistent but never inelegant) praise for her from his artist friend James Lee Byars, MR came across the complete works of a local girl named Emily Dickinson, in a hotel room in Amherst, Massachusetts about the time of 11 September 2001. His knowledge of English enabled him to appreciate some particularly original turns of phrase. Incidentally, in addition to his native Swiss German and compulsory German, MR speaks fluent French, English, Italian and Dutch and has a nodding acquaintance with other languages. Portrait of the artist as a polyglot?

## Slow Rhythms under the Gleams of the Daylight

To perform well you need to be fit. And that goes for brains as well as bodies. Without claiming to have pierced the secret of MR's creative longevity, there is no doubt that the regularity of his family and artistic life is one of the keys to his success. From the time his studio was burned, except for travel or holiday, MR's everyday life has been adapted to his needs and the gleams of the daylight. He spends his weekends with his family but otherwise goes to work like an ordinary employee. Luckily for him Monika takes care of all the tedious administrative tasks. After breakfast and a cursory look at the paper, he sets

son séjour d'un an à Berlin, en 1982, il s'imprègne de l'art des causeries et de la critique sociale de Theodor Fontane, curieusement enterré dans le cimetière de la Communauté française à Berlin-Mitte en raison des origines huguenotes de sa mère. Avant un voyage à Lisbonne, MR se plonge longuement dans la mélancolie intense de Pessoa. Chez Sebald, il admire surtout les interminables descriptions du paysage, tout en appréciant la combinaison pour une fois justifiée d'images et de texte.

## Parenté involontaire manifeste

Partisan précoce de la création sous contrainte et inventeur de solutions insolites, MR a pioché du côté des oulipiens bien avant de découvrir l'existence de ce cercle exclusif de jongleurs de mots. Il lit Calvino sans avoir connaissance de son appartenance au mouvement, et établit, probablement avant Harry Matthews, des listes de mots homographes dont le sens varie d'une langue à une autre. En 1979, quatre ans avant de découvrir l'Ouvroir de littérature potentielle, MR réussit même un redoutable défi, autant qu'une véritable prouesse, qui corrobore l'affirmation oulipienne selon laquelle « l'anthologie des poèmes en zéro mot tiendrait aisément sur un timbre-poste » : i!. En dehors de la réversibilité des deux signes notés dans un carnet, le point d'exclamation confère à cet accouplement un sens variable. Selon la prononciation, « i! » exprime, en tout cas en Suisse alémanique, la peur ou l'étonnement, la mise en garde ou le dépit. MR serait ce que certains appellent un plagiaire involontaire, un « NewLipien », un inlassable et inclassable chercheur, trouvant ce que d'autres ont trouvé avant lui. Ou, comme disaient les dadaïstes : « Dada war da bevor Dada da war » (Dada était là avant que Dada ne fût là).

Parfois, le hasard s'en mêle et semble vouloir nous en faire voir de toutes les couleurs. Après en avoir entendu dire le plus grand bien — avec l'enthousiasme débordant, parfois passablement insistant mais jamais inélégant de son ami artiste James Lee Byars —, c'est autour du 11 septembre 2001, à Amherst, dans le Massachusetts, que MR se retrouve nez à nez, dans une chambre d'hôte, avec les œuvres complètes de la native du coin, Emily Dickinson. Ses connaissances en anglais lui permettent d'en apprécier certaines tournures particulièrement innovantes. Précisons qu'en plus de sa langue maternelle suisse alémanique et de

off for his studio on the other side of the city. On fine days he sometimes walks, picking up fleeting impressions on the way, but he usually takes the bus. Not surprising to learn that MR does not have a driver's licence.

MR is ironical about the mobile telephone and can do without it. No digital camera either. What good would it be since he does not know how to use a computer? But he is not against technical progress and chooses his tools as he pleases, when it suits him. He used a Polaroid camera for example until its demise (temporarily forever). He also had his Xerox period. In the middle of the night he would photocopy all sorts of documents on the earliest fairly efficient models in the Bern central railway station. Admittedly they were still in black-and-white, but they could enlarge details to the verge of illegibility.

## Annual Report in the Shape of a Chinese Puzzle

In a freely chosen, but immutable end-of-year ritual, MR draws up a sort of annual ephemera report, looking at his art work in the previous year. In 2010 he set himself two puzzles, one apparently insoluble, at least for the moment, the other in the process of being solved. Using his mathematical skills and spurred by his curiosity, he tried to visualise the hidden sides of the polyhedron in Dürer's *Melancholy*. Dissatisfied with the results, he has set his research aside for a rainy day. Without feeling that he had wasted his time or taken a wrong turn — he loves this kind of detour that goes nowhere. The other project seems more fertile and close to bearing fruit: the Moebius strip. They can be seen everywhere in his studio-laboratory, in all sizes, made of paper, card, cloth, synthetics, wire, aluminium sheets… For some time now he has been working on the idea of using symmetrical letters to write words on the strip that can be read in various directions. Since he has not yet found the solution, he has temporarily plumped for musical notes. But a solution was suggested in 1970 by the Oulipien Luc Périn, called Luc Étienne: *Poèmes à Métamorphoses pour Rubans de Moebius*.

The strip in itself is no longer original. The Dutch draughtsman and engraver M. C. Escher popularised it in numerous studies, Max Bill sculpted it in various materials but the utterly simple yet paradoxical figure still haunts us. The latest coincidence was spotted by MR in the German

l'allemand obligatoire, MR parle couramment le français, l'anglais, l'italien et le néerlandais, sans oublier des notions dans d'autres langues. Portrait de l'artiste en polyglotte ?

## Rythmes lents sous les rutilements du jour

Pour être performant, il faut être en forme… Loin d'être l'apanage des sportifs, cette évidence vaut également pour les travailleurs de l'esprit. Sans vouloir prétendre avoir élucidé le secret de la persistance créatrice de MR, il est indéniable que la régularité de sa vie, tant familiale qu'artistique, constitue l'une des clefs de sa réussite. À peu près depuis l'incendie de l'atelier et exception faite des périodes de voyage ou de vacances, le rythme quotidien de MR est adapté à ses besoins et aux rutilements du jour. Sauf le week-end où il reste en famille, il passe ses journées sur son lieu de travail, comme un salarié ordinaire. Heureusement pour lui, c'est Monika qui s'occupe des fastidieuses démarches administratives. Après avoir pris le petit-déjeuner et sporadiquement parcouru la presse, il se rend à son atelier situé à l'autre bout de la ville. Parfois, les beaux jours, il marche, glanant en cours de route quelques impressions fugaces, mais d'habitude, il prend le bus. On ne s'étonnera pas d'apprendre que MR n'a pas son permis de conduire.

MR ironise sur le téléphone portable, et s'en passe volontiers. Pas d'appareil photo numérique non plus : à quoi bon, puisqu'il ne sait pas se servir d'un ordinateur ? Loin d'être réfractaire aux progrès techniques, MR a toujours choisi à sa guise ses outils le moment venu. Le Polaroid, par exemple, dont il s'est servi *ad libitum* jusqu'à sa disparition (définitivement provisoire). Il a eu aussi sa période Xerox : en pleine nuit, il lui arrivait de photocopier tout et n'importe quoi sur les premiers modèles quelque peu performants installés dans la gare centrale de Berne, encore en noir et blanc, certes, mais permettant d'agrandir des détails jusqu'à une résolution proche de l'illisibilité.

## Bilan annuel sous forme de casse-tête

Rituel immuable, mais sans contrainte, de fin d'année, MR dresse toujours une sorte de bilan de l'éphémère, de ce qui l'a occupé artistiquement au cours de l'année écoulée. En 2010, entre autres, il s'est imposé deux casse-tête, l'un apparemment insoluble, du moins pour

weekly paper *Die Zeit* in an article on Michel Houellebecq, Goncourt prize-winner in 2010. In *La Carte et le Territoire*, the author's homonym leaves strict instructions for his tombstone: a plain black basalt slab, with no date, engraved with just his name and a Moebius strip.

l'instant, l'autre en bonne voie de résolution. Fort de ses aptitudes mathématiques et poussé par sa curiosité, il a tenté de dévoiler la face ou plutôt les surfaces cachées du polyèdre de la *Mélancolie* de Dürer. Comme il n'a pas été convaincu par le résultat, il a reporté *sine die* la poursuite de ses recherches. Sans avoir eu l'impression d'avoir perdu son temps ou de s'être trompé de route, il a aimé ce détour qui l'a mené nulle part. En revanche, un autre projet semble plus fertile et proche d'aboutir : le ruban de Moebius. Il y en a partout dans l'atelier-laboratoire, de différentes tailles, en papier, carton, textile, synthétique, fil de fer, tôle d'aluminium… Son idée, depuis quelque temps déjà, est d'y inscrire, à partir de lettres symétriques, des mots lisibles dans différents sens. N'ayant pas encore trouvé la solution, il a opté, de manière provisoirement définitive, pour des notes de musique. Or une solution a été proposée dès 1970 par l'Oulipien Luc Périn, dit Luc Étienne : *Poèmes à métamorphoses pour rubans de Moebius*.

L'anneau, en soi, n'a plus rien d'original depuis un certain temps déjà : le graveur et dessinateur néerlandais M. C. Escher l'a popularisé à travers de nombreuses études, Max Bill l'a sculpté dans différents matériaux, et la figure plastique, aussi simple que paradoxale, ne cesse de hanter les esprits. Dernière coïncidence en date, relevée par MR dans l'hebdomadaire allemand *Die Zeit*, qui a consacré un article au Goncourt 2010, décerné à Michel Houellebecq. Dans *La Carte et le territoire*, un homonyme de l'auteur a laissé des instructions très strictes au marbrier pour sa tombe : une simple dalle de basalte noir, sans date, portant son nom et le dessin d'un ruban de Moebius.

# ENTRETIEN

autour des « Cahiers noirs »
du département
des Estampes
et de la Photographie

**Marie-Cécile Miessner et Farideh Cadot**

À l'occasion de la préparation de l'exposition « Markus Raetz », les deux commissaires, Marie-Cécile Miessner et Farideh Cadot, se penchent sur les archives du département des Estampes et de la Photographie, et en particulier sur la série des « Cahiers noirs » initiée par Françoise Woimant, conservateur des estampes contemporaines. Feuilleter ensemble ces volumes leur offre l'occasion d'un parcours chronologique des relations entre Markus Raetz et la Bibliothèque nationale. Les Cahiers noirs avaient été créés en 1966 par Françoise Woimant, à qui Jean Adhémar, directeur du Cabinet des estampes, avait confié le service de l'estampe contemporaine et la coordination des entrées. L'idée était de constituer un historique des collections, en insérant dans des cahiers à reliure noire, par ordre alphabétique, pour chaque artiste, une interview et la liste des pièces conservées, mise à jour au fur et à mesure de leur entrée dans les collections. Aujourd'hui, les 131 Cahiers noirs occupent 7,5 mètres linéaires dans le bureau des conservateurs chargés de l'estampe contemporaine, rassemblant une documentation irremplaçable sur près de 10 000 artistes, de Aaron à Zygro ! Le premier document qui se présente dans le Cahier noir « Raetz » est un texte rédigé en 1994 par Françoise Woimant, dans lequel elle argumentait en faveur de l'acquisition d'estampes de Markus Raetz.

# CONVERSATION

about the 'Cahiers Noirs' in
the Prints and Photographs
Department

**Marie-Cécile Miessner and Farideh Cadot**

On the occasion of the Markus Raetz exhibition, the curators Marie-Cécile Miessner and Farideh Cadot delved into the archives of the Prints and Photographs Department, paying particular attention to the 'Cahiers noirs' series initiated by the curator of contemporary prints, Françoise Woimant. Leafing through these volumes together gave them an opportunity to recall the relations between Markus Raetz and the Bibliothèque Nationale. The 'Cahiers noirs' were created in 1966 by Françoise Woimant, whom the director of the Prints Department, Jean Adhémar, had put in charge of contemporary prints and coordination of increase. The idea was to build up a history of the collections by filing in a series of black folders, in alphabetical order, an interview with each artist and the list of pieces in the library's collection, to be updated when new works were acquired. The 131 'Cahiers noirs' now fill 7.5 metres of shelf space in the curators' office, providing irreplaceable documentation on nearly 10,000 artists from Aaron to Zygro! The first document in the 'Raetz' entry is a text written in 1994, by Françoise Woimant, in which she recommended acquiring prints by Markus Raetz; Dominique Bozo had invited her to sit on the acquisitions committee of the Fonds National d'Art Contemporain (FNAC) as a permanent member for prints. Even if it upsets the chronological order of the

Dominique Bozo l'avait invitée à siéger à la commission d'acquisition du Fonds national d'art contemporain (FNAC) comme membre permanent pour les estampes. Même s'il bouleverse l'ordre chronologique des acquisitions, nous reproduisons ici ce texte, car il présente en quelques phrases une excellente approche de l'œuvre.

*Markus Raetz : sculpteur suisse de 53 ans, un dessinateur et un graveur tout à fait exceptionnel, vit à moitié en Suisse, à moitié en France, à Ramatuelle. Il nous étonne par la perception qu'il a des choses ; devant ses œuvres nous avons presque toujours le sentiment d'une révélation, une sorte d'émerveillement. Depuis une dizaine d'années, le FNAC a acquis trois séries de dessins remarquables, une sculpture et aucune gravure, alors que la gravure tient dans son œuvre une place tout à fait importante, soit quelque 270 estampes depuis ses 18 ans. La BN a acquis, il y a 20 ans, son premier petit livre reproduisant ses carnets de dessins, accompagné d'une gravure, et elle s'est fait donner par l'éditeur californien Kathan Brown, en 1992, une série d'estampes à partir d'ombres et de reflets (miroir, fil électrique). Les deux séries présentées ici sont des eaux-fortes, la première a été réalisée en 1970, alors que l'artiste n'avait pas encore 30 ans, à l'académie Rietveld à Amsterdam. Elle comporte 15 planches et a été tirée à 30 exemplaires. Ce que j'apprécie dans ces planches c'est tout à la fois l'humour (vol de langues) et les formations graphiques, ces boules et ces petits tas, autant de paysages. Elles me font penser à deux autres Suisses, Töpffer et Klee, version contemporaine. La seconde série a été réalisée sept ans plus tard, en 1977, en Suisse, chez un imprimeur remarquable, Peter Kneubühler. Tirée à 30 exemplaires, elle s'intitule* Trois couleurs, *jeux à travers des objets, une Marilyn, un personnage et son ombre, un autoportrait. C'est le début d'une collaboration assez formidable, que l'on pourrait comparer à celle de Picasso et Lacourière. La troisième série, que vous avez pu voir à l'exposition de la Fondation Cartier « Azur » (1993) ou, encore plus près, au Centre culturel suisse, est récente : 1991. Elle a été éditée, comme la précédente, par Stähli, en 1992, et s'intitule* NO W HERE, *soit « Maintenant ici » et/ou « Nulle part », jeu de mots assez familier à l'artiste. Ce sont sept paysages imaginaires mais inspirés de paysages tout à fait réels, d'îles de Norvège ou encore ceux aperçus du train entre Berne et Zurich, ou à Ramatuelle. Ce sont des*

acquisitions, we have decided to publish it here because it is a succinct but excellent introduction to Raetz's work.

*Markus Raetz: a Swiss sculptor aged 53, an outstanding draughtsman and engraver, divides his time between Switzerland and Ramatuelle in France. His perception of things is astonishing; his works almost always give us a sense of revelation and wonderment. Over the last ten years, the FNAC has bought three sets of remarkable drawings and one sculpture, but no prints, although they constitute a significant part of his oeuvre, some 270 prints since he was eighteen. Twenty years ago the BN [Bibliothèque Nationale] bought his first little book reproducing his sketch books, accompanied by a print, and in 1992 the Californian publisher, Kathan Brown, gave the library a set of prints based on shadows and reflection (mirror, wire). The two series presented here are engravings, the first done at the Rietveld Academy in Amsterdam in 1970, when the artist was not yet thirty. Thirty copies were made of fifteen etchings. What I particularly appreciate in these plates is both the humour (a flight of tongues) and the graphic form — landscapes made of balls and little piles. They bring to mind two other Swiss artists, Töpffer and Klee, but in a contemporary version. The second series was done seven years later, printed by the remarkable Peter Kneubühler in Switzerland in 1977. Published in an edition of 30 copies, it is entitled* Three Colours, *and plays with objects, Marilyn, a figure and its shadow, a self-portrait. It was the beginning of a formidable partnership, not unlike the collaboration between Picasso and Lacourière. The third series, which you may have seen at the Fondation Cartier exhibition 'Azur' (1993) or closer to Paris at the Centre Culturel Suisse, is more recent: 1991. It was published, like the previous one, by Stähli, and is called* NO W HERE, *'now here, nowhere' in a play on words characteristic of this artist. It is composed of seven landscapes, which are imaginary but inspired by real landscapes, islands in Norway or fleeting views from the train between Bern and Zurich, or at Ramatuelle. They are colour aquatints, which started out as blots on the metal and developed into landscapes or clouds and light effects. They make me think of Seghers's*

E.A. V̄                                                    M.R.77

8   *Männliche Figur, ihren Schatten betrachtend*
    *Figure masculine contemplant son ombre.* Aquatinte
    *Male Figure Contemplating his Shadow.* Aquatint
    1977 [cat. 20]

9    *27 Aug. 1971 bis 17 Sept. 1971. Amsterdam*
Livre d'artiste
Artist's book
1972 [cat.185]

*aquatintes en couleurs qui sont développées sur le métal à partir de taches et sont devenues des paysages où, comme dans la réalité, se constituent des nuages, des éclairages. Ils font penser aux paysages de Seghers, gravés à l'eau-forte avec une technique assez mystérieuse, ou encore aux monotypes de Degas, où l'on sent la mobilité, la transparence de l'air. Si Degas avait connu l'aquatinte au sucre! L'album, tiré à 40 exemplaires, est épuisé chez l'éditeur Stähli, Markus Raetz le céderait directement. Les deux premiers albums sont cédés par Farideh Cadot.*

**Françoise Woimant, 1994**

*landscapes, etched with a rather mysterious technique or again of Degas's monotypes in which we feel the movement and clarity of the air. If only Degas had known about sugar lift! 40 copies were published by Stähli. Once the album was out of print, Markus Raetz undertook to supply it directly. The first two albums were sold by Farideh Cadot.*

**Françoise Woimant, 1994**

**Marie-Cécile Miessner (MCM)** : La première page du Cahier noir « Raetz » porte la date de 1975, et la première entrée répertoriée est une acquisition de Françoise Woimant à la foire de Bâle, chez Stähli, éditeur à Zurich : *Die Bücher (ill. 143)*, trois volumes de reproduction de carnets de dessins, dans un coffret raffiné noir et blanc, accompagnés de la gravure sur bois *Liebespaar*.

**Farideh Cadot (FC)** : Acheter l'ouvrage d'un artiste qu'elle ne connaît pas, et qui de plus est très jeune – à l'époque, il a trente-quatre ans –, voilà qui est remarquable ! Françoise n'a rencontré Markus Raetz qu'en 1981, lors de la première exposition chez moi.

**MCM** : Françoise Woimant continue à acheter des livres, en 1981, 1982, des livres dits « d'artistes ». *MIMI* (édition de la Kunsthaus d'Aarau) *(ill. 13)*, 1981, contient des photographies d'une sculpture en poutres de bois dont les proportions sont celles du corps humain et à laquelle on peut donner différentes positions. Avec *Notizen 1981-1982*, édité par le DAAD et Rainer Verlag à Berlin en 1982 *(ill. 141)*, il s'agit encore de carnets de dessins. Il faut savoir que Markus Raetz a une immense collection de carnets de travail depuis 1969, qu'il a commencé à reproduire avec *Bücher*.

**FC** : Quand on connaît le travail de MR, on constate qu'une idée lui vient, il la note sous forme d'images et de mots dans son carnet, mais que cette même idée ne sera réalisée que bien plus tard, parfois plusieurs années après. C'est pourquoi il fait partie des artistes « indatables », ou plutôt « atemporels », pour lesquels on ne peut pas parler d'œuvre de jeunesse ou de production tardive. Son œuvre forme un tout dans lequel il est impossible de repérer une chronologie. Mais on reconnaît toujours un Raetz. En effet, quelle que soit la matière ou la forme, il existe un fil conducteur qui relie les œuvres, et qu'on retrouve dans ses carnets. Ceux-ci contiennent des notes, des dessins au trait, de véritables petits paysages, des aquarelles… Nous en montrerons quelques-uns dans l'exposition.

**MCM** : *Spiralbüchlein (ill. 9)* est encore un petit carnet de dessins, de 1971, avec une reliure à spirale, édité par Toni Gerber et Pablo Stähli en 1972, acheté en 2002.

**Marie-Cécile Miessner (MCM):** The first page of the Raetz 'Cahier noir' is dated 1975. The first work listed was bought by Françoise Woimant from the Zurich publisher, Pablo Stähli, at the Basel art fair: *Die Bücher (ill. 143)*, three volumes reproducing sketch books, in an elegant black and white case, accompanied by a woodcut, *Liebespaar*.

**Farideh Cadot (FC):** Buying a work of an artist she didn't know and who, besides, was very young at the time, only thirty-four, was quite remarkable! Françoise did not meet Markus Raetz until 1981, at the first exhibition in my gallery.

**MCM:** Françoise Woimant went on to buy more books, in 1981, 1982, so-called 'artists' books': *MIMI*, published by the Kunsthaus of Aarau *(ill. 13)* in 1981 contains photographs of a sculpture made from wooden beams, in the same proportions as the human body, which could be arranged in various positions. *Notizen 1981-1982*, published by DAAD and Rainer Verlag in Berlin in 1982 *(ill. 141)*, were also sketchbooks. Markus Raetz has an immense collection of sketchbooks since 1969, which he had started to publish with *Bücher*.

**FC:** When you're familiar with MR's work, you realise that when he has an idea he immediately marks it down in images and words in his notebook, but it will not be used until much later, sometimes several years later. That is why he is one of the most impossible-to-date, or rather timeless artists, for whom one cannot talk of youthful or late work. His work forms a whole in which it is impossible to pick out a chronology, but a Raetz is always recognisable. Whatever the material and the form, there is a thread running through them which links the works together which can be found in his sketchbooks. They contain notes, line drawings, small landscapes, watercolours… We will be showing some of them in the exhibition.

**MCM:** *Spiralbüchlein (ill. 9)* is another small sketchbook from 1971, with a spiral binding, published by Toni Gerber and Pablo Stähli in 1972, bought in 2002.

Some museums published a print to accompany an exhibition by Markus Raetz, just as the *Ring (ill. 139)*

Certains musées ont édité une gravure à l'occasion des expositions de Markus Raetz, comme nous le faisons aujourd'hui avec *Ring* (ill. 139) pour le catalogue de l'exposition à la BNF. Pour celle qui fut présentée à la Kunsthalle de Bâle, qui est venue à l'ARC en 1982-1983, Markus avait réalisé une pointe sèche (*Profil III*) (ill. 49) pour accompagner les 150 exemplaires de tête du catalogue. La BNF en possède un exemplaire qui lui a été offert par P. Stähli en 1983. De même, pour l'exposition « Arbeiten 1962-1986 », présentée successivement à Zurich, Cologne et Stockholm, nous avons acquis, en 1987, un des 87 exemplaires de tête du catalogue avec son eau-forte en couleurs (*Sinne II*) (ill. 62).

En 1992, nous avons reçu un don des éditions Crown Point Press. Invité dans le célèbre atelier de San Francisco, Markus avait réalisé cinq estampes. Kathan Brown, qui dirigeait cet atelier, était en amitié avec Françoise Woimant et appréciait la collection de la Bibliothèque nationale, au point qu'elle lui fit cadeau de quatre estampes.

FC : J'ai commencé en 1991 à exposer les gravures de Markus Raetz, parce qu'elles ont un rapport direct avec ses sculptures. J'avais acquis deux portfolios d'estampes, *Rietveld-Mappe* et *Dreifarben-Mappe*, chez Christie's. Françoise Woimant, sans hésiter, les a voulus pour la Bibliothèque, et a écrit le magnifique texte reproduit ci-dessus pour les proposer à la commission du FNAC, avec l'idée de les faire entrer dans la collection de la Bibliothèque.

MCM : Nous voici en 1998, avec le dépôt légal de la Chalcographie du musée du Louvre, qui, dans le cadre de sa politique de « modernisation », demande chaque année à trois artistes de créer une œuvre originale. Les plaques restent la propriété de la Chalcographie, qui retire à la demande des exemplaires ni numérotés ni signés – contrairement aux neuf exemplaires destinés aux institutions patrimoniales, dont la BNF. Tous les grands artistes, et même ceux un peu moins renommés, ont donné un cuivre à la Chalcographie du Louvre. Ce fut le cas pour Raetz. C'était l'époque, 1994-1995, où Markus travaillait la technique du burin. La planche s'intitule *Wellen* (Vagues) (ill. 44). Elle est le résultat de deux impressions de la plaque de cuivre, encrée

accompanies the catalogue for the exhibition at the BNF. For the show at the Kunsthalle in Basel, which came to the ARC in 1982–3, Markus had done a drypoint (*Profil III*) (ill. 49) for the 150 de luxe copies of the catalogue. P. Stähli gave the Bibliothèque nationale a copy in 1983. Similarly, for the catalogue for the 'Arbeiten 1962-1986' exhibition presented in Zurich, Cologne and Stockholm, in 1987, we bought one of the 87 de luxe copies of the catalogue with a colour etching (*Sinne II*) (ill. 62).

In 1992, a gift arrived from the Crown Point Press: Markus made five prints in the famous San Francisco studio; Françoise Woimant was friends with the studio's director Kathan Brown, and she so appreciated the Bibliothèque Nationale's collection that she donated four prints to it.

FC: I started to exhibit Markus Raetz's prints in 1991 because they are directly related to his sculptures. I had bought two portfolios of prints: *Rietveld-Mappe* and *Dreifarben-Mappe* from Christie's. Françoise Woimant immediately wanted them for the Bibliothèque. She wrote this magnificent text, reproduced above, introducing them to the FNAC committee, with the idea of adding them to the library's collection.

MCM: We are now in 1998 and the Chalcographie du Louvre (Print Workshop of the Louvre), as part of its modernisation policy, commissions an original print from three artists each year. The plates remain the property of the Chalcographie, which prints them on request; unlike the nine copies for state institutions, including the BNF, they are unnumbered and unsigned. All the great artists, and even some less well known ones, have given a copperplate to the Print Workshop of the Louvre, and Raetz was no exception. This was the period, 1994–5, when Markus was working with a burin. The plate is entitled *Wellen* (Waves) (ill. 44). The copperplate was printed twice on the same sheet, first inked in intaglio (positive print) and then on the surface (negative print).

In 2002, Farideh sold the BNF the five prints that Markus had made during his second stay in San Francisco, again in the Crown Point Press studio. The last of the BNF's acquisitions, in 2004, was a *Nude*, copublished by Catherine Putman and Brooke Alexander (ill. 137), a digital

10   *ME/WE*
     Héliogravure et aquatinte
     Photogravure and aquatint
     2007 [cat. 169]

d'abord en creux (tirage positif) puis en surface (tirage négatif), sur une même feuille.

En 2002, la BNF acquiert chez Farideh les cinq estampes réalisées par Markus lors de son deuxième séjour à San Francisco, toujours dans l'atelier Crown Point Press. La dernière acquisition, en 2004, est un *Nu* (une coédition de Catherine Putman et Brooke Alexander) *(ill. 137)*, une impression laser faite à partir d'un polaroïd réalisé avec Balthasar Burkhard, un grand ami de Raetz qui travaillait avec lui depuis 1965 (décédé en 2010). Comme pour

print from a Polaroid taken with Balthasar Burkard, a great friend of Raetz, with whom he had worked since 1965, and who died in 2010. As he did for *Nach Elvis (ill. 113)*, Raetz broke the black-and-white photo down into three screens in the primary colours. Depending on whether it is seen close up or from a distance, the nude appears in colour or in black-and-white. *Ombre*, a portfolio of 17 colour photogravures *(ill. 76–92)*, published by Markus Raetz in 33 copies in 2007, entered the FNAC collections in 2009 before coming to the BNF. A total of sixty or so prints by Markus Raetz are held in French collections. In the last

*Nach Elvis (ill. 113)*, l'artiste décompose en trois trames de couleurs primaires une photographie en noir et blanc, et, selon qu'on le regarde de près ou de loin, le nu apparaît en couleurs ou en noir. Édité en 2007 à 33 exemplaires par Markus Raetz, *Ombre (ill. 76-92)*, portfolio de 17 héliogravures en couleurs, entre en 2009 dans les collections du FNAC, avant de rejoindre la BNF. Au total, une soixantaine d'estampes de l'artiste sont conservées dans les collections françaises. On trouve dans les dernières pages du Cahier noir « Raetz » des lettres de Françoise Woimant, qui, consultée par les jurys internationaux de biennales d'estampes, leur proposait l'œuvre de Markus Raetz.

Farideh Cadot, vous êtes aux côtés de Markus Raetz depuis maintenant plus de trente ans. Cette durée et cette fidélité sont rares, exceptionnelles dans le monde de l'art…

FC : C'est autour de la notion de temps que ma relation à l'œuvre de Markus a dû se construire, avec une aptitude si ce n'est un goût commun pour la lenteur.
Si je devais choisir une de ses dernières œuvres, j'opterais pour la gravure *ME/WE (ill. 10)*. Elle représente, posé sur une plaque de verre, le mot « ME » et son reflet inversé : « WE ». Pour que « moi » devienne « nous », il faut être plus d'un… L'œuvre de Markus Raetz est à mes yeux un des rares exemples contemporains « d'œuvre d'art totale » (titre de l'exposition de Harald Szeemann à Zurich en 1983). Chacun voit l'œuvre avec – d'après – sa propre vision du monde : « Tu es ce que tu vois. » Dans tout ce que j'entreprends, j'ai toujours considéré le court terme comme l'horizon le plus lointain… C'est peut-être là une réponse à votre question. L'instant comme un des secrets de l'« éternité » ?

pages of the Raetz 'Cahier noir' are letters from Françoise Woimant recommending Markus Raetz's work to the juries of print biennials, who had asked for her advice. Farideh Cadot, you have been at MR's side for over thirty years now. Such loyalty is unusual in the art world…

FC: I think it is around the notion of 'time' that my relationship with Markus's work has been built up, with the aptitude, if not the common taste for slowness. If I had to choose one of his latest works, I would opt for the print *ME/WE (ill. 10)*. It represents, standing on a glass, the word 'ME' and its reversed reflection 'WE'. In order for the ME to become WE it simply takes more that one… In my opinion Markus Raetz's work is one of the very contemporary examples of *œuvre d'art totale* (title of Harald Szeemann's exhibition in Zurich in 1983). Everyone sees the work through and following his own vision of the world: 'you are what you see.' In everything I undertake I have always considered the short term as the farthest possible horizon. The 'moment' as one of the secrets of 'eternity'.

# PARCOURS

## de l'œuvre imprimé en compagnie de son auteur

**Marie-Cécile Miessner**

Le catalogue raisonné de votre œuvre imprimé[1] s'ouvre sur vos initiales gravées dans le caoutchouc d'un patin de frein de bicyclette trouvé dans la rue, en 1951-1952. Vous aviez environ dix ans et vous vouliez, comme votre père, avoir un tampon à votre signature ! Enfant encore vous examiniez à la loupe timbres, billets de banque, illustrations de magazines, y découvrant le travail de gravure et de trame, le maillage de lignes (*Vlechtwerk*), motif que vous retrouverez plus tard, par exemple dans les mosaïques du pavement de Saint-Marc à Venise.

Vous n'avez pas vingt ans et vous avez déjà expérimenté nombre de techniques d'estampe : monotype, pointe sèche, eau-forte, gravure à la cigarette, au fer à souder, impression à la ficelle. Et vous gravez sur tout support : zinc, celluloïd, linoléum, bois ou Pavatex, polyuréthane ! Les sujets sont encore communs, non moins conventionnels que ceux du peintre Piero Travaglini chez lequel vous travaillez pendant les vacances, mais votre volonté est ferme d'imprimer, de multiplier.

Vous abandonnez l'enseignement en 1963 pour vous consacrer à la création artistique, et, à vingt-cinq ans, vous faites votre première exposition personnelle chez Toni Gerber, à Berne (1966). En 1966, vous participez au n° 5/6 de *integration*, revue aujourd'hui historique, dirigée par

1 Rainer M. Mason, Juliane Willi-Cosandier et Josef Helfenstein, *Markus Raetz. Les Estampes. Die Druckgraphik. The Prints. 1958-1991*, Genève / Berne / Zurich, Cabinet d'arts graphiques / Kunstmuseum / Stähli, 1991.

# A RAMBLE

## with Raetz through his Printed Work

**Marie-Cécile Miessner**

The catalogue raisonné of your prints[1] opens with your initials carved in 1951-1952 from a rubber bicycle brake pad found in the street. You were about ten and you wanted a signature stamp like your father's! When you were still a child you used to peer through a magnifying glass at stamps, bank notes, magazine illustrations, scrutinizing the engraving and the fine mesh of lines (*Vlechtwerk*), a motif which you found later in the mosaics of the pavement of St Mark in Venice for example.

Before you turned twenty you had already experimented with all manner of printing techniques: monotype, drypoint, etching, cigarette-work, engraving with a soldering iron, string printing and you worked on a wide range of supports: zinc, celluloid, linoleum, wood or Pavatex, polyurethane! Your subjects were still commonplace, no less conventional than those chosen by the painter Piero Travaglini whom you worked with during the holidays, but you were determined to print and to multiply images.

You gave up teaching in 1963 to concentrate on art and at twenty-five you had your first one-man show at Toni Gerber's gallery in Bern (1966). In 1966, you took part in No. 5/6 of *integration*, now an historic review, directed by herman de vries, with an original work for the ten deluxe

1 Rainer M. Mason, Juliane Willi-Cosandier and Josef Helfenstein. *Markus Raetz. Les Estampes. Die Druckgraphik. The Prints. 1958-1991* (Geneva: Cabinet d'Arts Graphiques; Bern: Kunstmuseum; and Zurich: Stähli, 1991).

herman de vries, avec une contribution originale pour les dix exemplaires de tête. Le courant conceptuel baigne la deuxième moitié des années 1960. Vous êtes un jeune artiste suisse reconnu et participez à ce titre, en 1965, à la IVᵉ Biennale de Paris ; en 1968, à la Documenta IV à Kassel ; en 1969, à l'exposition d'Harald Szeeman, « Quand les attitudes deviennent forme », à la Kunsthalle de Berne ; à « Information », au MOMA, à New York en 1970.

Le prix de la Jeune Gravure suisse de la ville de Genève vous récompense en 1967 pour *Schären (ill. 135)*, sérigraphie en couleurs. Dans l'esprit des reliefs en bois peints aux couleurs pop, cet archipel figure la concordance entre formule mathématique et perspective, telle que vous l'observez encore aujourd'hui dans les lignes de fuite des rangées de vigne à Ramatuelle : déjà votre attrait pour les mathématiques, la géométrie.

En 1968, *Torus (ill. 138)*, un tore, figure géométrique dont la représentation la plus simple est la chambre à air, ou le *donut*. L'objet en bois dont vous avez peint les spires, photographié par votre ami Balthasar Burkhard, devient un tampon en caoutchouc (2,3 × 3,5 cm) qui, encré en rouge, accompagnera longtemps votre signature. Ainsi apparaît dans votre œuvre gravé le premier exemple de la représentation du volume, du passage de la troisième à la deuxième dimension. Il y aura sans cesse cet aller-retour entre les deux, et toujours, au départ, un dessin.

Vous vous installez à Amsterdam et approfondissez votre pratique de l'eau-forte à l'Académie Rietveld. Peut-être avez-vous eu entre les mains le *Traité des manières de graver en taille-douce sur l'airin* (1645) et le *Traité des pratiques géométrales et perspectives* (1665) d'Abraham Bosse. Vous habitez une maison proche de celle où vécut Hercules Seghers au tout début du XVIIᵉ siècle. Quinze gravures réalisées à l'Académie sont réunies dans le portfolio *Graphik 1970*, ou *Rietveld-Mappe*, tiré à trente exemplaires. Ces planches sont déjà le répertoire de vos sujets favoris : des jeux de mots et de rimes, en allemand ou en hollandais, déclenchent des images (*Ein Igel im Spiegel* ; *Een Broek in een Hoek* ; *Eine Welle in einer Zelle*) ; surréalisme ? Fluxus ? voisin en tout cas de votre compatriote Dieter Roth (*Vol de langues [ill. 15]*) ; calembours visuels, poésie (*Eva, Bäumchen*) ; paysages

copies. Conceptual art was in vogue in the second half of the 1960s, and you were among the leading young Swiss artists; as such you participated in the 4th Paris Bienniale in 1965, the Documenta 4 in Kassel in 1968, Harald Szeeman's exhibition 'When Attitudes Become Form' at the Kunsthalle in Bern in 1969, and 'Information' at the MOMA in New York in 1970.

In 1967 you won the City of Geneva prize for young Swiss engraving with a coloured screen print, *Schären* or *Archipel (ill. 135)*. In the spirit of wood paintings in pop colours, this work brought together mathematical formulas and perspective, like the lines of vines in Ramatuelle stretching to the horizon. An early sign of your interest in mathematics and geometry.

In 1968 came *Torus (ill. 138)*, a geometrical figure, the simplest form of which is an inner tube or a doughnut. You painted the spirals of the wooden object, had it photographed by your friend Balthasar Burkhard and made into a rubber stamp (2.3 × 3.5 cm) which, for years, you used in red as part of your signature. This was the first representation of volume in your prints, the first shift from three to two dimensions. After that you constantly went back and forth between the two, always starting with a drawing.

You moved to Amsterdam and went more deeply into etching at the Rietveld Academy. Perhaps you leafed through Abraham Bosse's treatises on etching, *Traité des Manières de Graver en Taille-douce sur l'Airin* (1645) and *Traité des Pratiques Géométrales et Perspectives* (1665). Your house was not far from the place where Hercules Seghers lived, in the early seventeenth century. Fifteen etchings done at the Academy were collected in the portfolio *Graphik 1970* or *Rietveld-Mappe*, printed in an edition of thirty copies. These plates are already a repertoire of your favourite subjects: plays on words and rhymes, in German or Dutch, which trigger images (*Ein Igel im Spiegel*; *Een Broek in een Hoek*; *Eine Welle in einer Zelle*). Surrealism? Fluxus? In any case, close to your fellow countryman Dieter Roth (*Flight of Tongues [ill. 15]*); visual puns, poetry (*Eva, Bäumchen*); landscapes (*Böueli [ill. 14]*, *Häufchen*); the play of light and shade (*Schattenbild [ill. 17]*). All served by a sense of excellence and technical mastery:

11    *Schnelles Sujet*
      *Sujet rapide.* Eau-forte et papier de verre
      *Fast Subject.* Etching and sandpaper
      1970 [cat. 10]

(*Böueli* [*ill. 14*], *Häufchen*) ; thèmes de la lumière et de l'ombre (*Schattenbild* [*ill. 17*]). Le tout servi par l'excellence et la maîtrise de la technique : préparation des plaques de zinc au papier de verre pour donner de la matière, réserves au vernis (asphalte ou bitume), travail au brunissoir pour obtenir les blancs, reprises à la pointe sèche pour donner des accents. *Schnelles Sujet* (*ill. 11*) : prodigieuse représentation du mouvement, de la vitesse ! *Flug*, « le vol » : comment figurer le vol d'un objet, un objet en vol ? En dessinant un pantalon, par exemple, et son ombre au-dessous, détachée de lui (*ill. 16*).

Comment représenter ce qui n'a pas de matière : le vent, la lumière, ce qui n'est pas cerné par une ligne ? Votre dessein est de trouver des sujets irreprésentables, aux limites de la représentation ; plus minimale est la chose, plus grande la liberté. Publication, en 1972, de *Notizbüchlein* (*ill. 9*), petit carnet à spirale et couverture cartonnée rouge, sur papier quadrillé, fac-similé de dessins exécutés entre le 27 août et le 17 septembre 1971 à Amsterdam.

Votre frère mathématicien vous a guidé dans les nombreuses études préparatoires au dessin du treillage *Vlechtwerk* (1972) (*ill. 136*), copie héliographique imprimée sur une machine pour plans d'architecte en raison du format du dessin (1,50 × 1 m). Il existe deux treillages différents, dont un est édité par la galerie Seriaal à Amsterdam, qui publie également *Krant* (Journal), reproduction grandeur nature de huit dessins au pinceau à l'encre de Chine, datés de 1973.

Avec l'eau-forte *Zwei Tröge*, 1974, vous expérimentez en gravure les tailles parallèles plus ou moins appuyées pour modeler les volumes (déjà, en 1964, vos dessins témoignent de cette recherche), et les impressions avec encrage de la plaque en creux ou roulage en surface pour des tirages en positif ou en négatif.

*Le Fou sur la colline* fait appel à un double souvenir : la chanson de John Lennon, interprétée en italien par Caterina Valente lorsque vous habitez au Tessin, et une indication de Raymond Roussel à Henri-Achile Zo pour les dessins des *Nouvelles impressions d'Afrique* : « 9. Un alpiniste admirant une vue du bord d'une hauteur (attitude d'extase). » *Kopfspirale* (*ill. 29*) est gravée d'un

sanding the zinc plates to give texture, asphalt or bitumen grounds, burnishing to obtain blank areas, working with drypoint for the accents. *Schnelles Sujet* (*ill. 11*): a prodigious representation of movement and speed. *Flug*, 'flight': how can you show the flight of an object or an object in flight? By drawing a pair of trousers, for example, and its shadow underneath, clearly separate (*ill. 16*).

How can you show something that has no substance – wind or light – and no outline? Your answer was to find objects that could scarcely be represented. The more minimal it is, the more freedom it leaves. In 1972 you published *Notizbüchlein* (*ill. 9*), a small spiral bound notebook with a red card cover in which facsimiles of drawings done in Amsterdam between 27 August and 17 September 1971 were printed on graph paper.

Your mathematician brother helped you with the many preparatory studies for the trellis design *Vlechtwerk* (*ill. 136*) 1972: a photogravure printed on a machine for architects' plans because of the format of the drawing (1.50 × 1 m). There are two different trellises, one of which was published by Seriaal gallery in Amsterdam, which also published *Krant* ('Newspaper'), a full-sized reproduction of eight brush and ink drawings done in 1973.

With the etching *Zwei Tröge*, 1974, you experimented with parallel cuts engraved with varying degrees of pressure to model volumes (there are already signs of this research in your drawings in 1964) and played with intaglio or surface inking to produce positive or negative prints.

*Le Fou sur la Colline* (The Fool on the Hill) awakens a double memory: John Lennon's song sung in Italian by Caterina Valente, when you were living in Ticino, and a note from Raymond Roussel to Henri-Achile Zo for the drawings of *Nouvelles Impressions d'Afrique*: '9. A mountaineer admiring the view from a peak (in ecstasy).' *Kopfspirale* (*ill. 29*) is etched in a single spiral line, starting from the tip of the nose, without the strokes ever crossing, like Claude Mellan's *Holy Face* (1649). These two small etchings, along with two woodcuts, accompanied the deluxe copies of the edition of *Die Bücher* (*ill. 143*), by Pablo Stähli in Zurich in 1975, three books, partial reproduction of the sketchbooks of 1972–4, in a black and white case. It was

seul trait en spirale, partant du bout du nez, sans que jamais les tailles ne se croisent, comme la *Sainte Face* de Claude Mellan (1649). Ces deux eaux-fortes de petite taille accompagnent, avec deux bois, les exemplaires de tête de l'édition *Die Bücher (ill. 143)*, par Pablo Stähli à Zurich en 1975, trois livres, reproduction partielle de carnets de dessins de 1972-1974, réunis dans un emboîtage noir et blanc. Première œuvre de Markus Raetz acquise pour la collection du département des Estampes.

Fruit de votre première collaboration avec l'imprimeur Peter Kneubühler, *Dreifarben-Mappe* (1977) est l'aboutissement de vos recherches sur la trichromie, la trame au trait, la trame au point (vous citez Salvador Dalí ; Alain Jacquet, Sigmar Polke, par exemple, ont aussi travaillé dans ce domaine). Une planche liminaire comporte un cercle chromatique *(ill. 18)* et un index des techniques employées dans les sept planches utilisant les trois couleurs primaires : rouge, jaune, bleu. Trois plaques gravées, une pour chaque couleur, sont imprimées successivement, dans un certain d'ordre, sur la feuille de papier : les trames se croisent et se superposent parfois. *Ein Auto und einige Menschen auf der Strasse (ill. 24-27)* est encore une démonstration, à la pointe sèche. *Nach Elvis (ill. 113)* est au départ une carte postale en noir et blanc, décomposée en trois couleurs. La superposition des trois trames sur la rétine, à bonne distance, fait apparaître l'image en noir. Le même effet est recherché pour un grand *Nu (ill. 137)*, à partir d'un polaroïd en noir et blanc réalisé avec Balthasar Burkhard (1978), coédition de Catherine Putman et Brooke Alexander en 2003. Avec ce travail qui peut paraître paradoxal – graver en couleurs une image initialement en noir et blanc afin que la rétine et le cerveau la restituent en noir –, vous sollicitez la participation du spectateur.

Votre ami Johannes Gachnang, graveur lui-même et directeur de la Kunsthalle de Berne, vous consacre une exposition en 1977, et à cette occasion édite *& u. & + &*, livre à six mains *(ill. 142)* : photographies de vos sculptures et peintures par Walo von Fellenberg, annotations de Rolf Geissbühler et dessins de vous-même.

*In den Stufen der Sichtbarkeit* (Les Marches de la visibilité), 1978 *(ill. 28)*. La technique de cette planche est une

the first of your works acquired for the Prints department. Your first collaboration with the printer Peter Kneubühler, *Dreifarben-Mappe* (1977), was the culmination of your research on the three-colour process, with a diagonal screen and a half-tone screen (you quote Salvador Dalí; others, such as Alain Jacquet and Sigmar Polke have also worked in this field). A preliminary plate with a colour circle *(ill. 18)* and an index of the techniques used in the seven plates using the three primary colours; cyan, magenta and yellow. Three plates, one for each colour, were printed successively, in a specific order, on the sheet of paper: the screens cross and are sometimes superimposed. *Ein Auto und einige Menschen auf der Strasse (ill. 24–7)*, is yet another demonstration, in drypoint. *Nach Elvis (ill. 113)* was originally a black and white postcard, broken down into three colours: at the right distance the eye merges the three screens and sees the image in black and white. The same effect was sought after in a large *Nude (ill. 137)*, from a black and white Polaroid shot with Balthasar Burkhard (1978), co-published by Catherine Putman and Brooke Alexander in 2003. With this rather paradoxical procedure of colour printing an initially black-and-white image so the retina and the brain will see it in black-and-white again, you make the spectator participate.

Your friend Johannes Gachnang, a printmaker himself and the director of the Kunsthalle in Bern, held a one-man exhibition of your work in 1977, and on that occasion published *& u. & + & (ill. 142)*, a book produced by three artists: photographs of your sculptures and paintings by Walo von Fellenberg, annotations by Rolf Geissbühler and drawings by you.

*In den Stufen der Sichtbarkeit* (On the Steps of Visibility), 1978 *(ill. 28)*, the technique here is an application of the etching scale showing how long the plate should be immersed in the acid bath to obtain a range of greys from the lightest to the darkest. In connection with this plate, you mention a night in Egypt when dogs were howling to one another from one village to another. The intensity of their barking, by ricochet or echo, faded in the distance, just as objects become smaller and less distinct. We have all that here: the depth of the horizon, the succession of planes from farthest to nearest. You tried to achieve the same effect in aquatint in the coloured landscapes of *NO W HERE*.

12    *Tag oder Nacht*
*Jour ou nuit.* Aquatinte
*Day or Night.* Aquatint
1998 [cat. 78]

application de l'échelle de morsures, qui porte l'indication des temps d'immersion de la plaque dans le bain d'acide pour obtenir un dégradé de gris, du plus clair au plus foncé. Vous évoquez, au sujet de cette estampe, une nuit en Égypte, quand les chiens hurlent et se répondent d'un village à l'autre, que l'intensité sonore de leurs aboiements, par ricochet ou en écho, s'estompe jusqu'à l'horizon, comme s'atténue la netteté des choses et s'amenuise leur taille dans le lointain. Tout cela est là : la succession des différents plans, du plus éloigné au plus proche, et la profondeur de l'horizon. Vous rechercherez le même rendu en aquatinte dans les paysages en couleurs de *NO W HERE*.

Pour illustrer la première traduction intégrale en allemand d'*Impressions d'Afrique*, de Raymond Roussel, vous adoptez la méthode de *Comment j'ai écrit certains de mes livres* et jouez de calembours visuels : portrait de R. Roussel en boules de billard (d'après la photographie de couverture d'un numéro spécial de *Bizarre* [n° 34/35, 2ᵉ trimestre 1964]) *(ill. 103)* et tête de Noir en forme d'Afrique (réminiscence d'une caricature de Patrice Lumumba parue après son décès en 1961) *(ill. 97)*. L'exécution de ces quatorze eaux-fortes et aquatintes sur zinc, plus deux de format plus étroit, a été précédée d'un nombre considérable de dessins préparatoires (du 10 janvier au 22 mars 1980). Jacques Caumont a glissé le titre d'une planche : *Défense d'y voir (ill. 98)*.

Le thème du couple occupe le début des années 1980. *Paar (ill. 104-111)* est une série de gaufrages à partir d'une matrice de fil de fer montée sur carton ; quinze essais sur différents supports, carton, journal, avec reprises à l'aquarelle, au fusain. Thème de l'amour, présent dans les trente-deux détrempes, peinture à la colle d'amidon, sur papier (collection de la Fondation Cartier), relecture des trente-deux positions amoureuses « décrites » par Breton et Eluard dans *L'Immaculée Conception* ; dans quantité de dessins parmi lesquels *Il Conto* (L'Addition) ; dans les couples en rameaux de bruyère de la *Frise de Naples* (1979-1980) ; dans les couples en néon, en plâtre…

1981 voit votre première exposition à la galerie Farideh Cadot, à Paris, voilà trente ans cette année ! Le premier *MIMI* monumental est réalisé avec des poutres de bois

To illustrate the first complete German translation of Raymond Roussel's *Impressions d'Afrique* you used the method described in *Comment J'ai Écrit Certains de Mes Livres* and played with visual puns: a portrait of R. Roussel in billiard balls (from the cover photo of a special issue of *Bizarre* [No. 34/35, 2nd quarter 1964]) *(ill. 103)* and a black head in the shape of Africa (reminiscent of the caricature of Patrice Lumumba published after his death in 1961) *(ill. 97)*. Before making these fourteen etchings and aquatints on zinc, and two more in a narrower format, you made a large number of preparatory drawings (10 January – 22 March 1980). Jacques Caumont suggested the title for one plate: *Défense d'y Voir (ill. 98)*.

The theme of the couple filled the early 1980s: *Paar (ill. 104–11)* is a series of embossed prints using a wire matrix mounted on cardboard, fifteen trials on various supports, card, newspaper, with retouches in watercolour and charcoal. The theme of love recurs often: in the thirty-two distempers on paper (Fondation Cartier collection), a reinterpretation of the thirty-two positions of love 'described' by Breton and Eluard in *L'Immaculée Conception*; in many drawings, including *Il Conto* (Addition); in the couples made of heather twigs in the *Frise de Naples* (1979–80); in couples made from neon, plaster…

1981 was your first exhibition at Farideh Cadot's gallery in Paris, thirty years ago this year! The first monumental *MIMI* was made with wooden beams at Aarau, and was the first of a long series of *MIMI* in France (Domaine de Kerguehennec, Parc de la Cerisaie in Lyon, Paris 18…). *MIMI* was 'born' in 1977, and in 1979 you took a series of Polaroids of the sculpture in forty-two positions, reproduced in a book with a bright yellow cloth cover published by the Kunsthaus in Aarau, in 1981 *(ill. 13)*.

As part of the Berliner Künstlerprogramm exchanges organised by the Deutscher Akademischer Austauschdienst (DAAD), you stayed in Berlin from May 1981 to April 1982, where you held an exhibition and saw the publication of a book (Rainer Verlag): *Notizen 1981-1982 (ill. 141)*, a facsimile of your sketchbooks during this residence, which opens with a drawing of the Brandenburg Gate.

à Aarau, et c'est le début d'une longue série de *MIMI* en France (Domaine de Kerguéhennec, parc de la Cerisaie à Lyon, Paris 18e…). *MIMI* est « né » en 1977. Vous réalisez, en 1979, une série de polaroïds de la sculpture dans quarante-deux positions, reproduits dans un livre à couverture de tissu jaune vif, édité par la Kunsthaus d'Aarau en 1981 *(ill. 13)*.

Dans le cadre des échanges du Berliner Künstlerprogramm de la Deutscher Akademischer Austauschdienst (DAAD), vous séjournez de mai 1981 à avril 1982 à Berlin, où vous sont offertes une exposition et l'édition d'un livre (édité par Rainer Verlag), *Notizen 1981-1982 (ill. 141)*, fac-similé de vos carnets durant cette résidence, qui s'ouvre sur un dessin de la porte de Brandeburg.

*Profil III*, 1982 *(ill. 45-49)* : prodigieuse leçon de pointe sèche en treize états de travail, avec grattage au papier de verre et brunissoir pour modeler le profil de ce visage aux traits si classiques que chacun peut y reconnaître un être proche. Progressivement, le cuivre est coupé, réduit de près d'un tiers, pour cadrer au plus près ce visage dont la lumière peu à peu efface les contours. En 1983, le musée d'Art moderne de la Ville de Paris accueille, avant Villeurbanne et Francfort, l'exposition venue de Bâle « Arbeiten / Travaux / Works 1971-1981 ». Cent cinquante exemplaires du catalogue sont accompagnés de *Profil III*.

Le visage, encore, est au centre de *Der Säureanschlag* (Attentat à l'acide) : vingt-trois plaques gravées à l'aquatinte dans l'atelier de Peter Kneubühler, en 1985, dont cinq visages prosaïquement nommés *Person A, B, C, D, E*, et, pour chaque, six, neuf, dix et jusqu'à quinze états du travail de morsure directe au pinceau *(ill. 50-57)*. Au fil des états, les regards et les lèvres changent d'expression, l'acide fait son office sur le métal, ronge, lisse ou polit le visage, l'absorbant dans l'obscurité. Seuls, alors, luisent encore les yeux, parfois des yeux en amande semblables à ceux des bouddhas de pierre dure.

En 1988, c'est New York ! Farideh Cadot et Marcia Tucker organisent l'exposition « In the Realm of the Possible » au New Museum of Contemporary Art. À la Biennale de Venise, vous occupez le pavillon de la Suisse. Cette

*Profil III*, 1982 *(ill. 45–9)*: a brilliant lesson in drypoint, in thirteen states, with sanding and burnishing to model the profile of a face with such classical features that everyone can recognise someone they love. The copper is gradually cut away, reduced by nearly a third, to frame this face more closely. The light slowly effaces its contours. In 1983, the Musée d'Art Moderne in Paris hosted an exhibition, organised by the Kunsthalle in Basel, which then went on to Villeurbanne and Frankfurt: 'Arbeiten / Travaux / Works 1971-1981'. 150 copies of the catalogue were accompanied by *Profil III*.

Faces were again the focal point of *Der Säureanschlag* (Attack with Acid): 23 plates engraved with aquatint in Peter Kneubühler's studio in 1985, including five faces prosaically named *Person A, B, C, D, E* and for each one six, nine, ten and up to fifteen states, etched directly with a brush *(ill. 50–7)*. The eyes and lips change from one state to another as the acid bites into the metal, erodes, smoothes or polishes the face, sucking it into the darkness. The eyes alone glow in the dark, sometimes almond-shaped like the eyes of hardstone Buddhas.

In 1988, you were in New York: Farideh Cadot and Marcia Tucker curated your exhibition 'In the Realm of the Possible' at the New Museum of Contemporary Art. At the Venice Biennale, you occupied the Swiss pavilion. The same year you won first prize at the 11th Prints Triennial in Grenchen and contributed a 1985 plate for the deluxe copies of the catalogue, *Sicht I*, aquatint, drypoint and burnisher *(ill. 58)*. It was the first of a dozen plates on these themes which you are particularly fond of: sight, seeing, the visual field (*Sicht II* was given to a society for the blind in Bern [*ill. 63*]), and the senses. The outside world reaches us through our eyes, ears, nose and mouth, linked by a tangle of coloured lines (*Sinne [ill. 62, 64]*).

*NO W HERE (ill. 68–75)*, a set of seven colour aquatints made in Peter Kneubühler's studio in 1991, dealt with landscapes: your notebooks are full of landscapes, mountains and plains, sea coasts… *NO W HERE*, now here/nowhere. Just a few strokes of the etching brush on the plate, direct bite, and an illusory, imaginary landscape appears. To show perspective, the depth of the air, you used the acid as an active agent, regulating

même année, vous recevez le prix de la XI<sup>e</sup> Triennale de gravure de Grenchen (Granges), et, pour l'édition de tête du catalogue de cette manifestation, vous reprenez une planche de 1985, *Sicht I*, aquatinte, pointe sèche et brunissoir *(ill. 58)*. Elle sera la première d'une douzaine de planches sur ces thèmes qui vous sont chers : la vue, la vision, le champ de vision (*Sicht II* est offerte à une société d'aide aux malvoyants à Berne *[ill. 63]*), et les sens. Le monde extérieur pénètre en nous par yeux, oreilles, nez et bouche, reliés par des entrelacs colorés (*Sinne [ill. 62, 64]*).

*NO W HERE (ill. 68-75)*, suite de sept aquatintes en couleurs réalisées dans l'atelier de Peter Kneubühler en 1991, traite du paysage. Vos carnets sont emplis de croquis de paysages, montagnes et plaines, côtes maritimes… *NO W HERE : now here/nowhere*, « maintenant ici/nulle part ». Il suffit de quelques traits de pinceau à l'eau-forte, morsure directe, répartis sur la plaque, pour que se déclenche l'illusion d'un paysage, un paysage imaginé. Pour figurer la perspective, la profondeur de l'air, vous utilisez l'acide comme agent actif, dosant le temps de morsure, du plus clair au plus foncé, en général avec deux plaques (ou trois), deux gammes de couleurs, bleu et ocre. Vous connaissez sans doute, d'Alexander Cozens, la *Nouvelle méthode pour assister l'invention dans le dessin de compositions originales de paysages* (1785), à laquelle introduit Jean-Claude Lebensztejn avec *L'Art de la tache* (1984). Nous sommes dans la grande lignée de Paul Klee, Victor Hugo, Hercules Seghers, Léonard de Vinci…

En 1991, vous êtes invité par Kathan Brown à travailler dans l'atelier de Crown Point Press, à San Francisco, et vous y réalisez quatre estampes de grand format avec le matériel le plus simple, miroir, fil électrique, et la technique la plus ingénieuse, entre le photogramme de Henry Fox Talbot et le rayogramme de Man Ray : vous interposez un objet entre la lumière zénithale de l'atelier et une plaque couverte de gélatine photosensible, sur laquelle s'impressionne l'ombre de celui-ci. Un miroir (élément de plusieurs sculptures), sur ce miroir un dessin au crayon gras, un bras qui tient le miroir ; dans ce dispositif, vous utilisez, en sculpteur, les trois dimensions. Dans les estampes *Reflexion I, II et III*, le reflet du dessin projeté par la lumière, l'ombre du miroir et du bras *(ill. 117-119)*. « Grâce au procédé de l'héliogravure, j'obtiens cette

the biting time, from the lightest to the darkest, usually with two (or three) plates, and two colour ranges, blue and ochre. You were probably familiar with Alexander Cozens' *New Method of Assisting the Invention in Drawing Original Compositions of Landscape* (1785), and Jean-Claude Lebensztejn's introduction to it in *L'Art de la Tache* (1984). We are in the lineage of Paul Klee, Victor Hugo, Hercules Seghers, Leonardo da Vinci…

In 1991, Kathan Brown invited you to work in the Crown Point Press studio in San Francisco. You made four large format prints with the simplest possible equipment, a mirror, electric wire and the most ingenious technique, somewhere between Henry Fox Talbot's photogram and Man Ray's rayogram: you put an object between the studio's overhead lighting and a plate covered with photosensitive gelatin. The shadow of the object appeared on the plate. A mirror, part of several sculptures, and on the mirror a drawing in oily crayon, an arm holding the mirror: in this arrangement you used the three dimensions like a sculptor. In the prints *Reflexion I, II* and *III*: the reflection of the drawing projected by the light, the shadow of the mirror and the arm *(ill. 117–19)*. 'Through the photogravure process, I obtained a quality of shade that no painting can achieve,' you admit. You used the same photogram process for *Schatten* (Shadows) *(ill. 125)*, six black-and-white photogravure plates, and two aquatint plates for the smoky blue background. The pipe, a sly dig at Magritte, and the swirls of smoke are only the shadow of a piece of electric wire (in the shape of a pipe) which you put in six different positions above the photosensitized plate.

*Views* is an etching on which you replaced the soft ground with *soap ground*, an acid resistant soap paste *(ill. 65)*.

*Nothing is Lighter than Light*, 1991, firstly a play on the word *light*, and again on *see-saw*, after a first unpublished version in 1987, recalled the story of Picabia trying to weigh a ray of sunshine on letter scales *(ill. 96)*. Two abstract notions which both defy representation, light and nothingness, rest on a see-saw which tips in favour of the light. Ninety-nine copies accompanied the deluxe copies of the catalogue raisonné of your prints (268 items) by Rainer Michael Mason, published by the Cabinet d'Arts Graphiques of the

13   *MIMI*
     Livre d'artiste
     Artist's book
     1981 [cat. 188]

qualité d'ombre qu'aucune peinture ne peut atteindre »,
reconnaissez-vous. Vous utilisez le même procédé
de photogramme pour *Schatten* (Ombres) *(ill. 125)*,
six plaques d'héliogravure en noir, plus deux plaques
d'aquatinte pour le fond couleur fumée bleutée. La pipe,
clin d'œil à Magritte, comme les volutes de fumée, ne sont
que l'ombre d'un morceau de fil électrique (en forme de
pipe) que vous animez dans six positions au-dessus de la
plaque sensibilisée.

*Views* est une eau-forte pour laquelle vous remplacez le
vernis par le *soap ground*, pâte de savon résistant à l'acide
*(ill. 65)*.

Musée d'Art et d'Histoire in Geneva and the
Kunstmuseum in Bern. The same year, you received the
printing prize awarded by the Banque Cantonale in
Geneva.

In 1994, you had two exhibitions in France, one at
the Centre Culturel Suisse in Paris and the other at
the Musée de l'Estampe et du Dessin in Gravelines.
As part of its program of contemporary editions, the
Chalcograhie du Louvre commissioned a plate from you:
*Wellen* (Waves) a burin on copperplate *(ill. 44)*. The plate
was printed twice on the sheet of paper, once in intaglio
(black lines) and once in surface inking (white lines). For

*Nothing is Lighter than Light* (1991), d'abord un jeu sur le mot *light* et encore sur *see-saw*, après une première version inédite en 1987, rappelle l'anecdote de Picabia tentant de peser un rayon de soleil avec un pèse-lettre *(ill. 96)*. Deux notions aussi abstraites, irreprésentables l'une que l'autre, la lumière et le néant, reposent sur cette balançoire qui penche en faveur de la lumière. Quatre-vingt-dix-neuf exemplaires accompagnent le tirage de tête du catalogue raisonné de vos estampes (268 numéros) établi par Rainer Michael Mason, publié par le Cabinet d'arts graphiques du musée d'Art et d'Histoire de Genève et le Kunstmuseum de Berne. Cette année-là, la Banque cantonale de Genève vous décerne son prix de gravure.

En 1994, deux expositions vous sont consacrées en France : au Centre culturel suisse, à Paris, et au musée de l'Estampe et du Dessin, à Gravelines. La Chalcographie du musée du Louvre, dans le cadre de son programme d'éditions contemporaines, vous commande une plaque : *Wellen* (Vagues), gravure au burin sur cuivre *(ill. 44)*. La planche est imprimée deux fois sur la feuille de papier, encrée en creux (traits noirs) et en réserve de trait (traits blancs). Durant des mois, vous vous entraînez à « pousser le burin », apprentissage physique qui exige un effort conjugué des deux bras, a écrit Albert Flocon dans son *Traité du burin*. De la même manière, intensive et assidue, dont vous avez pratiqué l'eau-forte à Amsterdam et la morsure directe à l'aquatinte pour *Attentat à l'acide*, vous travaillez le burin de novembre 1994 à juin 1995 et gravez une trentaine de planches. La première est un portrait (involontaire dites-vous) de Monika, votre épouse. Les travaux sur la trame, la ligne, le positif/négatif, le velouté des fourrures (que vous admirez tant dans les burins de Dürer), sont repris avec cet outil exigeant. Souvent une série d'épreuves d'états ponctue l'avancement du travail.

*Croisement, Kreuzung, Crossing* (1997), « l'un des sujets majeurs de mon travail : la deuxième dimension et la mise en perspective de la troisième », dites-vous. Les quatre lettres « T O U T » se lisent « R I E N » lorsque le spectateur, tournant autour de la sculpture, modifie son angle de vision. Par contre, dans l'estampe *(ill. 123)*, le regard s'est arrêté entre TOUT et RIEN, dans la multiplicité des formes abstraites possibles nées

months you practised working with a burin, a physical labour involving a concerted effort by both arms at once, as Albert Flocon wrote in his *Traité du Burin*. With the same application and concentration that you put into etching in Amsterdam and direct bite aquatint for *Attentat à l'Acide* (Attack with Acid), you worked with a burin from November 1994 to June 1995, engraving thirty or so plates. The first was a portrait (unintentional, you claim) of your wife Monika. The work you had done on the screen, lines, positive/negative, the velvety furs (which you admire so in Dürer's engravings) was repeated with this exacting tool. Often a series of proofs provided a progress report.

*Croisement, Kreuzung, Crossing*, 1997: 'one of the major subjects in my work: the second dimension and the perspective presentation of the third', the four letters 'T O U T' ('all') turn into 'R I E N' ('none') as the spectator walks around the sculpture and changes his viewpoint. But in the print *(ill. 123)*, the spectator's gaze is caught *between* the two words TOUT and RIEN, snagged in the multiplicity of possible abstract forms that grow out of the crossing of these two opposites, referring simultaneously to *Ceci et Cela* and *Dieses & Jenes*. 'The exciting thing here is not the extreme points of the differences but, on the contrary, the space between them and the passage from one to the other.' To describe the metamorphosis, you used the metaphor of Daphne at the instant when her feet took root in the soil. Jurgis Baltrušaitis in *Les Perspectives Dépravées*, speaks of fragmented images in which a single viewpoint, a particular visual angle, lets a complete virtual image appear in space. But there is no obligation or need to see the subject, these images can just as well be seen as abstractions.

In a quite different way, because his work is figurative but nonetheless requires the spectator to participate to reconstruct the form, one could think of William Kentridge, and his taste for anamorphoses. 'As the sculptures revolve, out of the tangle of wire and paper spring the silhouette of a conductor, the outline of an opera singer, and a nose on horseback… The figures disintegrate and reform visually depending on the point of view of the spectator walking round the work,' explained the press release for Kentridge's exhibition 'Return'.

du croisement des deux mots antinomiques. À la fois *Ceci et cela, Dieses & jenes*. « Ce qui m'a passionné ici, ce ne sont pas les points extrêmes des différences, mais, au contraire, l'espace entre eux, le passage de l'un à l'autre. » Pour décrire la métamorphose, vous utilisez la métaphore de Daphné, à l'instant où ses pieds s'enracinent dans le sol. Jurgis Baltrušaitis, dans *Les Perspectives dépravées*, parle d'images fragmentées : selon lui, un point de vue unique, un seul angle de vue particulier permet à une image complète, virtuelle, d'apparaître dans l'espace, mais il n'y a aucune obligation, nulle nécessité de voir le sujet, on peut tout autant regarder ces images comme des abstractions.

Dans un esprit tout différent de celui de Markus Raetz, parce qu'il travaille sur la figuration mais nonobstant sollicite la participation du spectateur pour reconstituer la forme, on peut penser à William Kentridge, à son goût pour les anamorphoses. « En tournant sur elles-mêmes, les sculptures font jaillir d'un enchevêtrement de fils de fer et de papiers la silhouette d'un chef d'orchestre, le dessin d'une chanteuse, d'un nez en cavalier […]. Les figures se disloquent et se reconstituent visuellement en fonction du point de vue adopté par le spectateur qui tourne autour de l'œuvre », lit-on dans le communiqué de presse de l'exposition « Return » de W. Kentridge.

*Croisement* est imprimé chez Michèle Dillier, votre nouvel imprimeur (à Moutier, dans le Jura bernois) depuis la disparition de Peter Kneubühler.

L'exposition de Jörg Zutter « Le miroir vivant », au musée cantonal des Beaux-Arts de Lausanne, en 1997, met en évidence l'importance de l'œuvre de Magritte pour la génération d'artistes qui ont développé leur travail après 1960 ; vous y êtes présent, aux côtés de Marcel Broodthaers et de Bruce Nauman. Magritte, plus que jamais, est parmi vos maîtres.

1998. *Tag oder Nacht (ill. 12)* : un œil expert discernera, dans cette estampe, les huit plaques gravées avec une aquatinte très fine, plus une plaque pour le fond en morsure directe. On peut contempler les deux fenêtres de jour ou de nuit, mais pas les deux à la fois. Encore une gymnastique de l'esprit, du regard, comme dans les

*Croisement* was printed by Michèle Dillier (at Moutier in the Bernese Jura) your new printer since the death of Peter Kneubühler.

Jörg Zutter's exhibition 'Le Miroir Vivant' at the Musée Cantonal des Beaux-Arts in Lausanne in 1997 showed how important Magritte had been for the generation of artists who worked after 1960, in particular Marcel Broodthaers, Bruce Nauman and you.

1998 *Tag oder Nacht (ill. 12)*: an expert eye would see in this print the eight plates engraved with a very fine aquatint, plus one plate in direct bite for the ground. The two windows can be seen by day or by night but not both at once. Another mental exercise, a visual trick, like Rubin's double profiles, when focusing on one makes the other disappear.

1999 *Zwei Körper gleichen Inhalts* (Two Figures from the Same Volume) *(ill. 129–31)*: two wire parallelepipeds embossed on black cardboard, fifty different copies, at the expense of the Aargauer Kunsthaus. First the drawing of the two figures, then a wire model and its imprint embossed on Presspan cardboard. Presented as mobile sculptures, vertical to start with and then horizontal, set in motion by a motor, these figures were called *Opaques Transparents*.

In 2001, during your second stay in San Francisco, you made five aquatints or colour photogravures in the Crown Point Press studio. *Zeemansblik* is a theme which had interested you since 1985, a play on the ambiguity of the Dutch word *blik*, meaning both a view and a metal sheet. You cut out a sheet of virgin zinc in the shape of binoculars, with a fold for the horizon, and light reflected on the metal fires the spectator's imagination and calls up memories *(ill. 2)*. Two of your prints dealt with what the sailor sees: in *Gaze (cover illustration)*, an aquatint, the copper plate is cut out like the landscape seen through the binoculars, and in *Binocular View (ill. 59)*, a photogravure, the view is surrounded by black, as if seen from the back of a cave or from inside a skull. For the plate entitled *Silhouette (ill. 94)*, an anamorphic landscape, you used your own profile by leaning over the photosensitized plate. The subtitle *The Promontory of Noses*, came from Laurence Sterne's *Tristram Shandy*, a

doubles profils de Rubin, quand la focalisation de l'œil sur l'un des deux fait disparaître l'autre.

1999. *Zwei Körper gleichen Inhalts* (Deux figures du même volume) *(ill. 129-131)* : gaufrages sur carton noir de deux parallélépipèdes en fil de fer; cinquante exemplaires différents, aux dépens de l'Aargauer Kunsthaus. D'abord le dessin des deux figures, puis une maquette en fil de fer et son empreinte gaufrée sur carton Presspan. Devenues sculptures mobiles, verticales et pour finir horizontales, mues par un moteur, ces figures sont dénommées *Opaques transparents*.

2001. Durant le deuxième séjour à San Francisco dans l'atelier de Crown Point Press, vous réalisez cinq aquatintes ou héliogravures en couleurs sur le thème du paysage et du *Zeemansblik* (traité depuis 1985), qui, en hollandais, a le double sens de « tôle de marin » et de « vue du marin ». Découpée en forme d'image binoculaire, une tôle de zinc vierge reflète les couleurs alentour. Seul un pli marque la ligne d'horizon entre mer et ciel. Rien n'est montré, qu'un effet de lumière : sa réflexion sur un morceau de zinc, qui suscite l'imagination et la mémoire du spectateur *(ill. 2)*. Deux planches montrent aussi ces vues de marin : *Gaze (ill. de couverture)*, aquatinte, pour laquelle la plaque de cuivre est découpée en détourant le paysage, comme dans des jumelles, et *Binocular View (ill. 59)*, héliogravure, où la vue, comme du fond d'une caverne ou de l'intérieur du crâne, se détache sur le noir. Pour la planche titrée *Silhouette (ill. 94)*, paysage anthropomorphe, vous avez prêté votre profil, penché au-dessus de la plaque sensibilisée. Son sous-titre, *The Promontory of Noses*, est puisé dans *Tristram Shandy*, de Laurence Sterne, ouvrage qui inspire encore deux estampes (imprimées sur chine collé) : vous avez reproduit, en fil de fer, le *Flourish*, cette ligne sinueuse que dessine dans l'air, avec un bâton, le caporal Trim ; dans une estampe, une main tient le *Flourish* rouge du bout des doigts *(ill. 7)*, dans l'autre, *Trim's Flourish (ill. 93)*, une baguette verte accompagne le moulinet.

2007. L'héliogravure *ME/WE (ill. 128)* est le résultat d'un travail de gravure extrêmement raffiné : lettres gravées dans une plaque de verre — pour être au plus vrai —, réserve à l'asphalte pour le miroir, fine aquatinte grise pour le fond, aquatinte en bleu turquoise pour le bord du

work which inspired two more prints (on *chine collé*). You made a wire version of the *Flourish*, the sinuous line drawn in the air by the tip of Corporal Trim's stick: in one print, a hand holds the red *Flourish (ill. 7)* in its fingers, in the other, *Trim's Flourish (ill. 93)* is accompanied by a green stick.

2007. The photogravure *ME/WE (ill. 128)* was the end result of an extremely sophisticated engraving process: the letters were engraved on a glass plate – to be as realistic as possible –, asphalt resist for the mirror, fine grey aquatint for the ground, turquoise blue aquatint for the edge of the glass. The reflection and the play on words are close to a lithograph *Malice* (1980) by Bruce Nauman who, like you, was born in 1941. You both carried out similar research on opposite sides of the Atlantic. In his abundant printwork, we could mention the play on solids and spaces in *Fingers and Holes* (etchings, 1994), and the neon tubes on the fronton of the American pavilion, with pairs of vices and virtues: *prudence/pride, fortitude/anger, temperance/ gluttony…* for which Nauman was awarded the Golden Lion at the Venice Biennale in 2009.

A rectangle of blue sky and a square of light can be seen through the attic window. *Luke I* (Dormer I) *(ill. 66)* and *Luke II* (Dormer II) *(ill. 67)* are two photogravures, obtained by removing triangle after triangle of a plastic sheet laid over the sensitized copper plate. The increasingly intense black of *Luke I* comes from four successive bites; the four colours of *Luke II* are obtained by superimposing two colours.

In *Ombre* (2007), a portfolio of seventeen plates (9 × 18 cm) *(ill. 76–92)*, you put together a repertoire of themes: landscapes, geometrical figures and more recently still lifes, including a surprising dish of spaghetti. Initially paintings on glass plates they were printed as photogravures.

In 2010, you went back to burin engraving and attempted to represent the Moebius strip, a twisted endless ribbon, which Max Bill has sculpted many times. Your print work came full circle with this topological figure like the torus.

There are other references in your dialogue with art. The fathers: Duchamp and Magritte; Klee, Max Ernst and

verre. Le reflet, le jeu avec les mots sont proches d'une lithographie, *Malice* (1980), de Bruce Nauman, né comme vous en 1941. Vous avez tous deux mené des recherches similaires de part et d'autre de l'Atlantique. Dans son œuvre gravé abondant, on pourrait encore citer les jeux de vide et de plein, dans *Fingers and Holes* (eaux-fortes, 1994) ; enfin, l'œuvre en néon au fronton du pavillon américain – qui a valu à B. Nauman le Lion d'or à la Biennale de Venise en 2009 –, où vices et vertus alternent par paires : *prudence/pride*, *fortitude/anger*, *temperance/gluttony*…

Il faut lever la tête pour voir au travers et au-delà du cadre de la lucarne, qui découpe un rectangle de ciel bleu, une percée de lumière : *Luke I* (Lucarne I) *(ill. 66)* et *Luke II* (Lucarne II) *(ill. 67)* sont deux héliogravures obtenues en évidant, par découpes successives, triangle après triangle, une feuille de plastique placée au-dessus d'une plaque de cuivre sensibilisée. Le noir, de plus en plus intense, de *Luke I* résulte de quatre morsures successives. Quant aux quatre couleurs de *Luke II*, elles proviennent de la superposition de deux couleurs.

Dans *Ombre* (2007), portfolio de dix-sept planches (dim. 9 × 18 cm) *(ill. 76-92)*, vous constituez un répertoire de thèmes : paysages, figures géométriques et, nouvellement, natures mortes, dont un surprenant plat de spaghetti. Au départ, ce sont des peintures sur plaque de verre, qui sont ensuite imprimées en héliogravure.

En 2010, vous reprenez le burin et vous vous mesurez à la représentation de l'anneau de Moebius, bande torse, ruban sans fin, dont Max Bill a réalisé nombre de sculptures. La boucle de votre œuvre gravé se referme sur cette figure topologique… comme le tore !

Quels référents citer encore, MR, dans le dialogue que vous entretenez avec l'art ? Les pères : Duchamp et Magritte ; Klee, Max Ernst et les surréalistes, Dalí ; la peinture chinoise, les estampes japonaises, l'art islamique, les graveurs sur bois des XVe et XVIe siècles. Selon vous, plus que la peinture, la gravure du XVe au XIXe siècle, avec sa logique binaire – blanc/noir, couleur/non-couleur –, nous a menés au système digital de notre ère numérique (trame des journaux, pixels des écrans de télévision).

the Surrealists, Dalí ; Chinese painting, Japanese prints, Islamic art, fifteenth- and sixteenth-century woodcuts. You say that more than painting, engraving from the fifteenth to the nineteenth century with its binary logic – black/white, colour/non-colour – led us to the binary system of the digital era (half-tone screens in the newspaper, pixels on TV screens).

And we could also add M. C. Escher, Gustave Verbeek's top-and-tail comics, which can be read upside-down, and comics in general, in which the outline is a form of writing. Without forgetting visual and concrete poetry: Claus Bremer, Hansjörg Mayer, André Thomkins and the art of the palindrome (*Oh cet écho*). And lastly, François Morellet's screens, and Thomas Bayrle's pop paintings, which are based on repetition as well as screens.

In your work there is an on-going obsession with drawing in space, moving from the second to the third dimension. For you, working on a copper plate is more sculptural than painting is. The never-ending quest for line, contour and the major theme of physiognomy takes us to Matisse. During your last trip to Paris, you went to see an exhibition of Matisse's prints. To judge by his quotations on the walls, you are on the same wavelength as the master: 'Above all I had to give an idea of immensity in a limited space' and 'What interests me most, is neither the still life nor the landscape, but the figure.'

This 'interview' with Markus Raetz by Marie-Cécile Miessner is based on discussions and conversations held during the preparation of the exhibition at the BNF.

Encore pouvons-nous évoquer M. C. Escher, les bandes dessinées aux personnages tête-bêche – à lire sens dessus dessous – de Gustave Verbeek et la bande dessinée en général, art du dessin de contour où la ligne est utilisée comme une écriture. Mais aussi la poésie visuelle et concrète : Claus Bremer, Hansjörg Mayer, André Thomkins et l'art du palindrome (*Oh cet écho*). Enfin, les trames de François Morellet et les tableaux pop art de Thomas Bayrle, construits sur la répétition et la trame.

En permanence, dans votre œuvre, l'obsession du dessin dans l'espace, du passage de la deuxième à la troisième dimension. Travailler la plaque de cuivre est, pour vous, autrement que ne l'est la peinture, un acte sculptural. La quête constante de la ligne, du contour et le thème majeur de la physionomie nous amènent à Matisse. Lors de votre dernier séjour à Paris, vous visitez une exposition de ses estampes. Aux cimaises, de courtes citations de l'artiste attestent de votre intelligence avec le maître : « il fallait surtout que je donne, dans un espace limité, l'idée d'immensité » et « ce qui m'intéresse le plus, ce n'est ni la nature morte ni le paysage, c'est la figure ».

Cette « interview » de Markus Raetz a été reconstituée par Marie-Cécile Miessner à partir des échanges et conversations qui ont jalonné la préparation de l'exposition à la BNF.

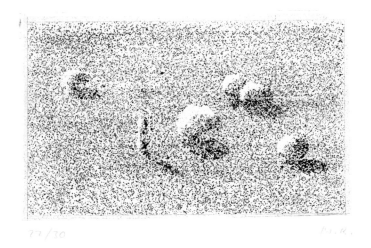

77/30                                                    M. R.

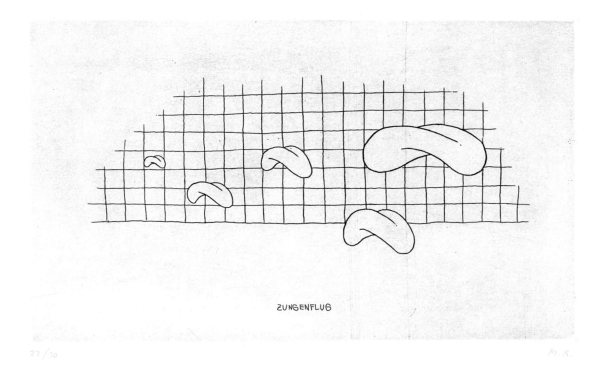

ZUNGENFLUG

77/30                                                    M. R.

14 – 17    *Rietveld-Mappe*

14    **Böueli I**
      *Petites boules I.* Eau-forte et papier de verre
      *Little Balls I.* Etching and sandpaper
      1970 [cat. 8]

15    **Zungenflug**
      *Vol de langues.* Eau-forte
      *Flight of Tongues.* Etching
      1970 [cat. 6]

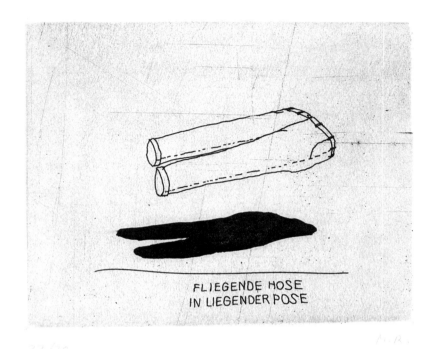

16  *Fliegende Hose in liegender Pose*
    *Pantalon volant en position allongée*. Eau-forte et aquatinte
    *Flying Trousers in Recumbent Position*. Etching and aquatint
    1970 [cat. 5]

17  *Schattenbild*
    *Ombre chinoise*. Eau-forte et aquatinte
    *Silhouette*. Etching and aquatint
    1970 [cat. 7]

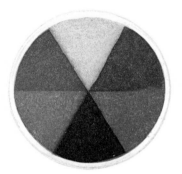

E.A. V̄                    M.R.77

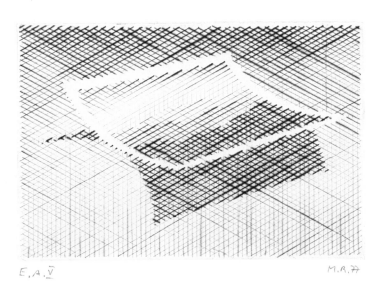

E.A. V̄                    M.R.77

18 – 23   *Dreifarben-Mappe*

18  **Farbenkreis**
    *Cercle chromatique*. Aquatinte
    *Chromatic Circle*. Aquatint
    1977 [cat. 15]

19  **Mary Long**
    Eau-forte
    Etching
    1977 [cat. 16]

20  **Photographie**
    *Photographie*. Pointe sèche
    *Photograph*. Drypoint
    1977 [cat. 17]

21  **Kugel mit Schatten**
    *Boule et ombre*. Pointe sèche,
    papier de verre et brunissoir
    *Ball with Shadow*. Drypoint,
    sandpaper and burnisher
    1977 [cat. 21]

E.A. V̄                    M.R.77

E.A.V                                    M.R.77

22   *Marilyn II*
     Eau-forte en trois couleurs
     Three-colour etching
     1977 [cat. 18]

E.A. V                                                           M.R. 77

23  *Blick aus einer Balkontür*
*Vue à travers une porte de balcon.* Vernis mou
*A Glance through a Balcony Door.* Soft-ground etching
1977 [cat. 19]

Platte A                                          M.R. 77

Platte B                                          M.R. 77

24   *Ein Auto und einige Menschen*
     *auf der Strasse*
     *Une auto et quelques personnes*
     *dans la rue.* Pointe sèche
     *Car and People on the Street*
     Drypoint
     1977 [cat. 11]

25   *Ein Auto und einige Menschen*
     *auf der Strasse*
     *Une auto et quelques personnes*
     *dans la rue.* Pointe sèche
     *Car and People on the Street*
     Drypoint
     1977 [cat. 12]

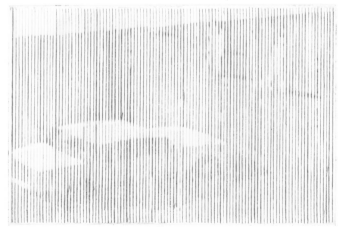

Platte C                                          M.R. 77

26   *Ein Auto und einige Menschen*
     *auf der Strasse*
     *Une auto et quelques personnes*
     *dans la rue.* Pointe sèche
     *Car and People on the Street*
     Drypoint
     1977 [cat. 13]

Épreuve                                                                                      M. R. 77

27  *Ein Auto und einige Menschen auf der Strasse*
*Une auto et quelques personnes dans la rue.* Pointe sèche
*Car and People on the Street.* Drypoint
1977 [cat. 14]

28  *In den Stufen der Sichtbarkeit*
*Les Marches de la visibilité.* Aquatinte
*On the Steps of Visibility.* Aquatint
1978 [cat. 3]

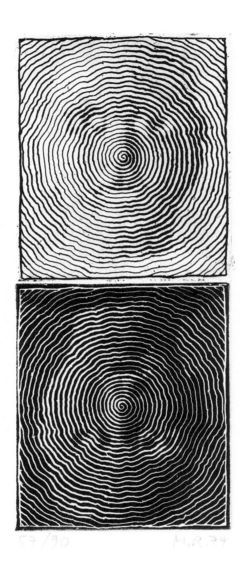

29  *Kopfspirale*
*Tête en spirale*. Eau-forte
*Head Spiral*. Etching
1974 [cat. 27]

30  *Bipolar*
Burin, 1er état
Engraving, 1st state
1994 [cat. 54]

31  *Bipolar*
Burin, 2e état
Engraving, 2nd state
1995 [cat. 55]

32  *Bipolar*
Burin, 3e état
Engraving, 3rd state
1995 [cat. 56]

33   *Bipolar*
Burin, état définitif
Engraving, final state
1995 [cat. 57]

34   *Profil V*
Burin
Engraving
1994 [cat. 51]

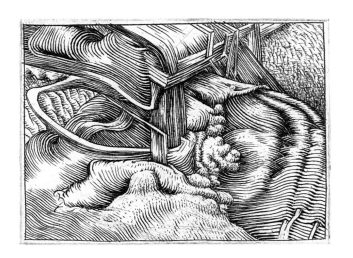

35  *Clair-Obscur I*
Burin
Engraving
1994 [cat. 52]

36   *Irrwisch*
Burin
Engraving
1994 [cat. 58]

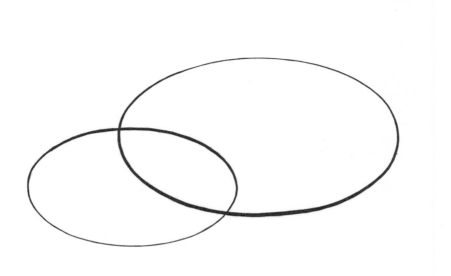

37  *Kreise*
*Cercles*. Burin
*Circles*. Engraving
1994-1995 [cat. 65]

38  *Kreise*
*Cercles*. Burin, tirage en réserve de trait
*Circles*. Engraving, proof inked with a roller
1994-1995 [cat. 66]

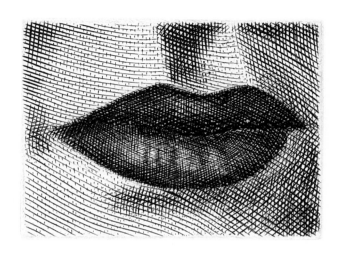

39  *M. O., nach Man Ray*
*M. O. d'après Man Ray.* Burin
*M. O., after Man Ray.* Engraving
1994-1995 [cat. 61]

40  *Bürstschen*
*Petite brosse.* Burin
*Little Brush.* Engraving
1994-1995 [cat. 64]

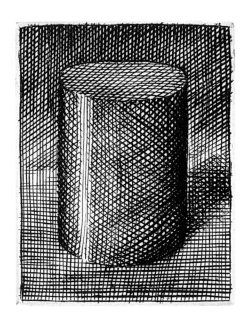

41   *Zylinder*
    *Cylindre*. Burin
    *Cylinder*. Engraving
    1995 [cat. 60]

42   *Übersicht*
    *Vue d'en haut*. Burin
    *Overview*. Engraving
    1994-1995 [cat. 59]

43   *Hülse*
*Douille.* Burin
Engraving
1995 [cat. 62]

44   *Wellen*
*Vagues.* Burin
*Waves.* Engraving
1994-1995 [cat. 50]

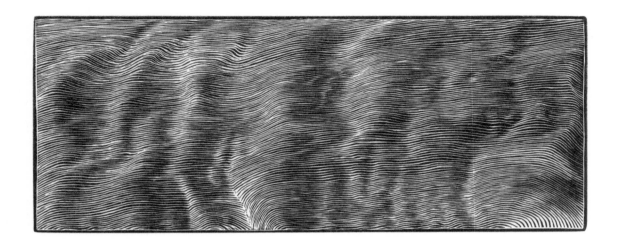

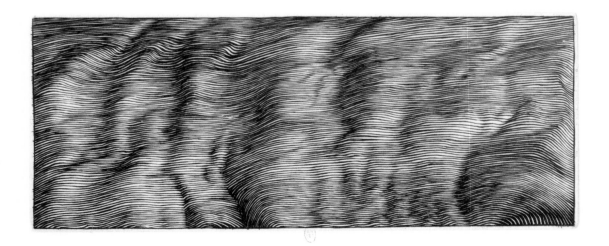

*Profil III*
Pointe sèche, papier de verre et brunissoir
Drypoint, sandpaper and burnisher
1982-1983 [cat. 37-48]

45  1er état
    1st state

46  3e état
    3rd state

47  4e état
    4th state

48  6e état
    6th state

96/150                                                                                    M.R.82

**Profil III**                                        49   État définitif
Pointe sèche, papier de verre et brunissoir               Final state
Drypoint, sandpaper and burnisher
1982-1983 [cat. 49]

*Person D*
Aquatinte, morsure directe
Aquatint, spit-bite aquatint
1985 [cat. 29-36]

50 1er état
1st state

51 2e état
2nd state

*Person D*
Aquatinte, morsure directe
Aquatint, spit-bite aquatint
1985 [cat. 29-36]

52  3e état
    3rd state

53  4e état
    4th state

*Person D*
Aquatinte, morsure directe
Aquatint, spit-bite aquatint
1985 [cat. 29-36]

54  5ᵉ état
    5th state

55  6ᵉ état
    6th state

Z 8   3/5              Person D              M.R. 85

Z 9  3/5              Person D              M.R. 85

*Person D*
Aquatinte, morsure directe
Aquatint, spit-bite aquatint
1985 [cat. 29-36]

56   7ᵉ état
     7th state

57   8ᵉ état
     8th state

e.a. XI/XV                                    MiR. 85

58  *Sicht I*
    *Vision I*. Aquatinte, pointe sèche et brunissoir
    *Sight I*. Aquatint, drypoint and burnisher
    1985 [cat. 71]

59  *Binocular View*
*Vue binoculaire*. Héliogravure
*Binocular View*. Photogravure
2001 [cat. 1]

11 / 33

60  *Projektion*
Morsure directe et aquatinte
Spit-bite aquatint, aquatint
1985 [cat. 69]

M.R. 85

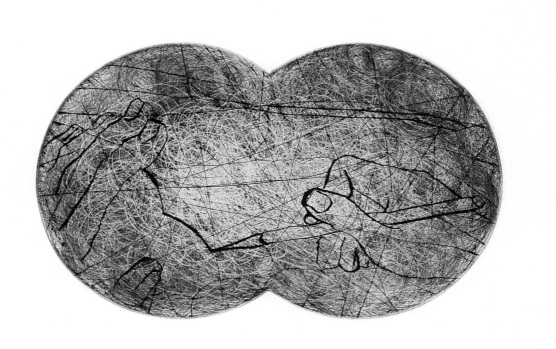

Z2

61   *Sehfeld*
     *Champ de vision*, 2ᵉ état. Papier de verre, pointe sèche et brunissoir
     *Field of View*, 2nd state. Sandpaper, drypoint and burnisher
     1986 [cat. 68]

62   *Sinne II*
     *Sens II*. Aquatinte
     *Senses II*. Aquatint
     1987 [cat. 75]

63   *Sicht II*
     *Vision II*. Aquatinte et vernis mou
     *Sight II*. Aquatint and soft-ground etching
     1985-1986 [cat. 72]

39/87                    M.R. 87

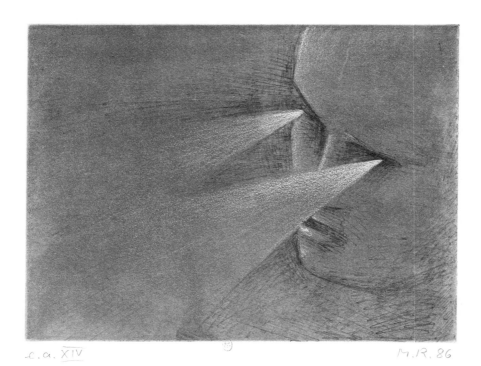

c.a. XIV                  M.R. 86

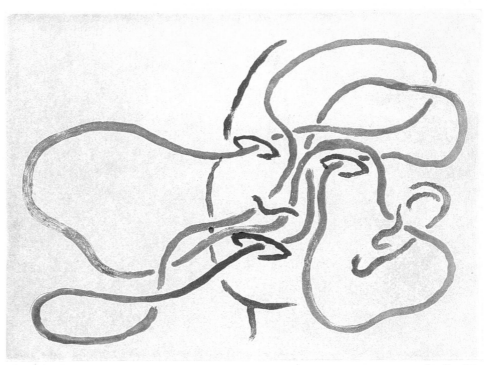

XIII / XVII                                    M. R . 87

64  **Sinne I**
*Sens I.* Aquatinte
*Senses I.* Aquatint
1987 [cat. 74]

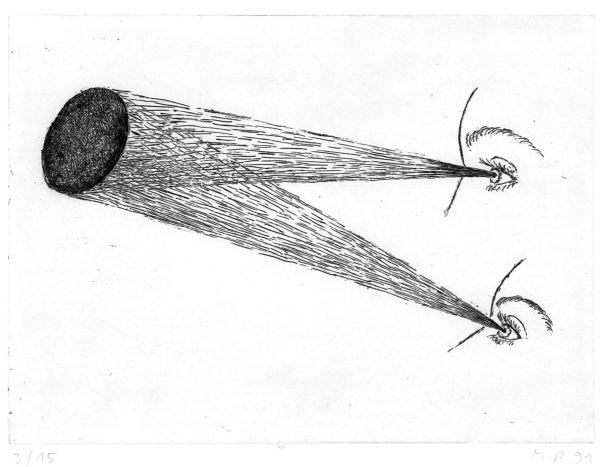

3/15                                           M.R.91

65  **Views**
    *Vues*. Eau-forte
    *Views*. Etching
    1991 [cat. 73]

66  *Luke I*
*Lucarne I*. Héliogravure
*Dormer I*. Photogravure
2007 [cat. 76]

67 *Luke II*
*Lucarne II*. Héliogravure
*Dormer II*. Photogravure
2007 [cat. 77]

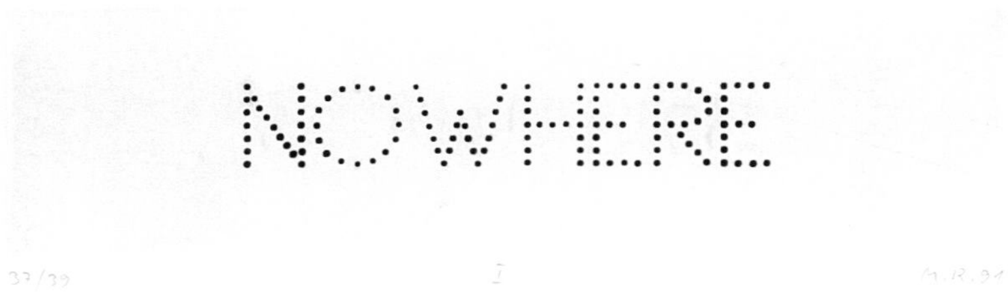

NOWHERE

32/39                    3                    9.12.91

68 – 75  *NO W HERE*

68  **NO W HERE**
Planche de titre. Gravure au criblé
Title plate. Dotted manner engraving
1991 [cat. 79]

37/39       II       MiR.91

69   *Eine Hügellandschaft bei niedrigem Sonnenstand*
*Paysage collinaire, soleil bas.* Aquatinte, morsure directe
*A Hilly Landscape in the Low Sunset.* Aquatint, spit-bite aquatint
1991 [cat. 80-86]

37/39                                      III                                      M.R.91

70   *Eine Küstenlandschaft*
     *Un paysage côtier.* Aquatinte, morsure directe
     *A Coast Landscape.* Aquatint, spit-bite aquatint
     1991 [cat. 80-86]

37/39      <u>IV</u>      M. R. 91

71 *Eine Gebirgslandschaft*
*Un paysage montagneux*. Aquatinte, morsure directe et pointe sèche
*Mountain Landscape*. Aquatint, spit-bite aquatint and drypoint
1991 [cat. 80-86]

72 *Eine Baumbewachsene Talsohle im Gegenlicht*
*Un fond de vallée à contre-jour.* Aquatinte, morsure directe
*Backlit Valley with Trees.* Aquatint, spit-bite aquatint
1991 [cat. 80-86]

37/39

V                                                                M.R. 91

73  *Sicht auf eine grosse Ebene*
*Vue sur une grande plaine*. Aquatinte, morsure directe
*View at a Large Plain*. Aquatint, spit-bite aquatint
1991 [cat. 80-86]

37/39    VII    M.R. 9.1

74  *Ein Feld mit Haufen*
*Un champ de tas*. Aquatinte, morsure directe
*Field with Piles*. Aquatint, spit-bite aquatint
1991 [cat. 80-86]

75  *Blick aus einer Höhle aufs Meer*
    *Vue de l'intérieur d'une grotte sur la mer*
    Aquatinte, morsure directe
    *Looking at the See by a Cave*
    Aquatint, spit-bite aquatint
    1991 [cat. 80-86]

37/39

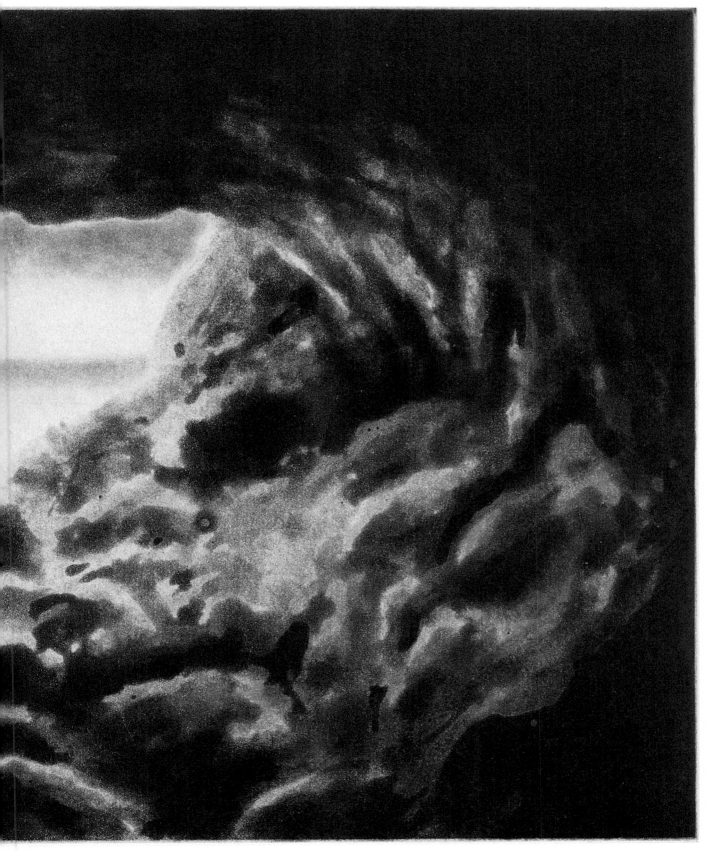

VII                                    M. R. 91

76   *Ombre*
Héliogravure à partir d'une peinture sur verre
Photogravure from a glass painting
2007 [cat. 87-103]

77  *Ombre*
Héliogravure à partir d'une peinture sur verre
Photogravure from a glass painting
2007 [cat. 87-103]

78  *Ombre*
Héliogravure à partir d'une peinture sur verre
Photogravure from a glass painting
2007 [cat. 87-103]

79  *Ombre*
Héliogravure à partir d'une peinture sur verre
Photogravure from a glass painting
2007 [cat. 87-103]

80  *Ombre*
Héliogravure à partir d'une peinture sur verre
Photogravure from a glass painting
2007 [cat. 87-103]

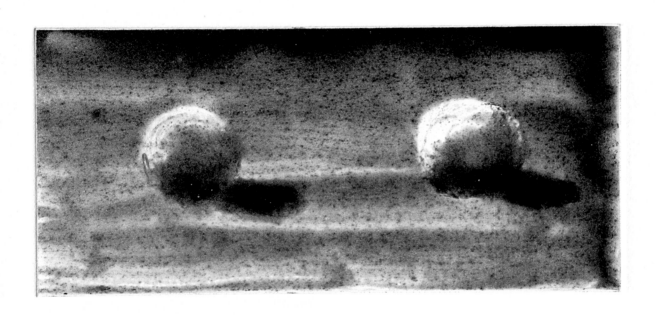

81  *Ombre*
Héliogravure à partir d'une peinture sur verre
Photogravure from a glass painting
2007 [cat. 87-103]

82  *Ombre*
Héliogravure à partir d'une peinture sur verre
Photogravure from a glass painting
2007 [cat. 87-103]

83  *Ombre*
Héliogravure à partir d'une peinture sur verre
Photogravure from a glass painting
2007 [cat. 87-103]

84 *Ombre*
Héliogravure à partir d'une peinture sur verre
Photogravure from a glass painting
2007 [cat. 87-103]

85 *Ombre*
Héliogravure à partir d'une peinture sur verre
Photogravure from a glass painting
2007 [cat. 87-103]

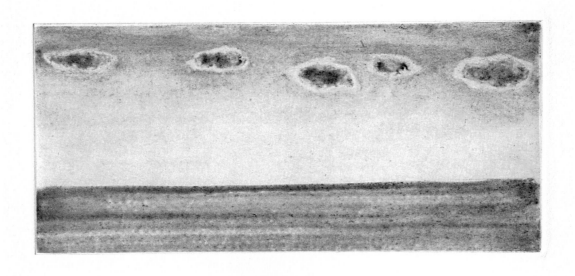

86  *Ombre*
Héliogravure à partir d'une peinture sur verre
Photogravure from a glass painting
2007 [cat. 87-103]

87  *Ombre*
Héliogravure à partir d'une peinture sur verre
Photogravure from a glass painting
2007 [cat. 87-103]

88    *Ombre*
Héliogravure à partir d'une peinture sur verre
Photogravure from a glass painting
2007 [cat. 87-103]

89  *Ombre*
Héliogravure à partir d'une peinture sur verre
Photogravure from a glass painting
2007 [cat. 87-103]

90  *Ombre*
Héliogravure à partir d'une peinture sur verre
Photogravure from a glass painting
2007 [cat. 87-103]

91  *Ombre*
Héliogravure à partir d'une peinture sur verre
Photogravure from a glass painting
2007 [cat. 87-103]

92  *Ombre*
Héliogravure à partir d'une peinture sur verre
Photogravure from a glass painting
2007 [cat. 87-103]

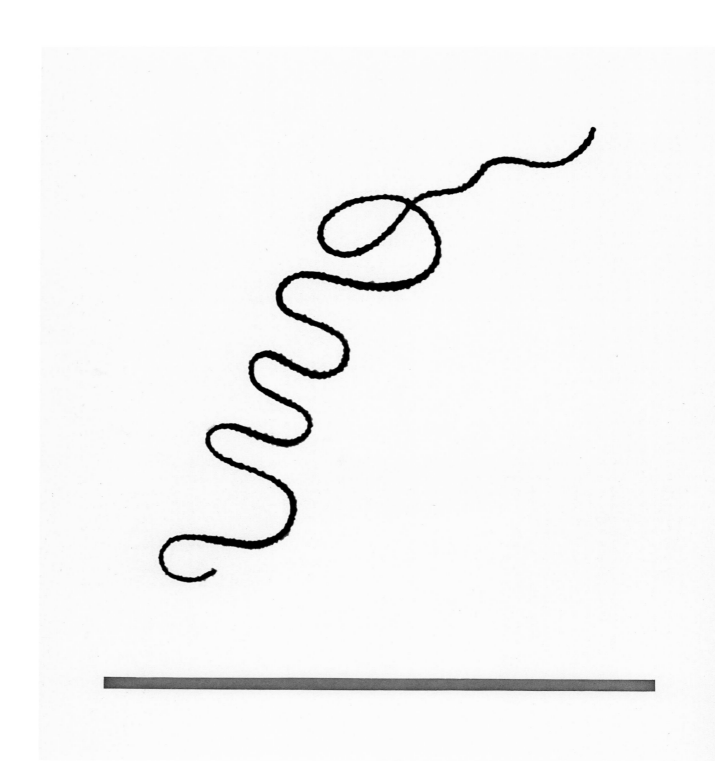

93  *Trim's Flourish*
Morsure directe et aquatinte sur chine collé
Spit-bite and aquatint on *chine collé*
2001 [cat. 142]

94   *Silhouette ou The Promontory of Noses*
Héliogravure et aquatinte
Photogravure and water bite aquatint
2001 [cat. 140]

95  *Prélude à la Rrose (quoi ?). « Sot ne rit de la Rrose, croit »*
Partition de Gavin Bryars. Pointe sèche et aquatinte
Score by Gavin Bryars. Drypoint and aquatint
1987 [cat. 144]

NOTHING IS LIGHTER THAN LIGHT

Probe                                                                                        M.R.91

**96**   *See-Saw II*
*Balançoire II*. Vernis mou et aquatinte
Soft-ground etching and aquatint
1991 [cat. 139]

Epreuve          M.R. 80          Epreuve          M.R. 80

97 – 103    *Eindrücke aus Afrika*

97   **Impressions d'Impressions d'Afrique**
     Pl. I. Aquatinte
     Pl. I. Aquatint
     1980 [cat. 118-131]

98   **Défense d'y voir I**
     *Impressions d'Impressions d'Afrique*, pl. VI. Eau-forte et aquatinte
     *Impressions d'Impressions d'Afrique*, pl. VI. Etching and aquatint
     1980 [cat. 118-131]

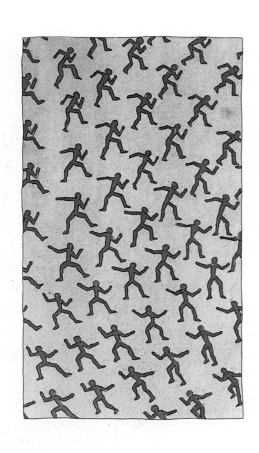

Epreuve                    M.R.80

Epreuve                    M.R.80

99  *Impressions d'Impressions d'Afrique*
Pl. VII. Eau-forte et aquatinte
Pl. VII. Etching and aquatint
1980 [cat. 118-131]

100  *Impressions d'Impressions d'Afrique*
Pl. VIII. Aquatinte
Pl. VIII. Aquatint
1980 [cat. 118-131]

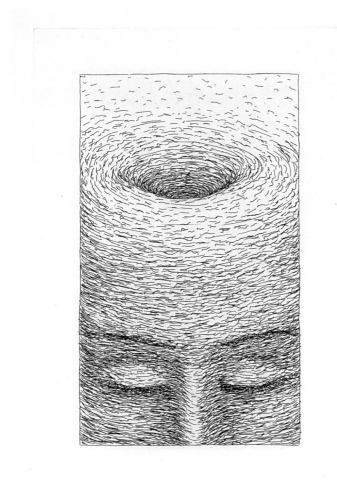

Epreuve                    M.R.80

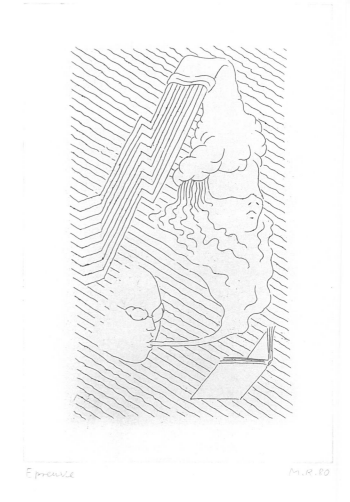

Epreuve                    M.R.80

101  *Impressions d'Impressions d'Afrique*
Pl. X. Eau-forte
Pl. X. Etching
1980 [cat. 118-131]

102  *Impressions d'Impressions d'Afrique*
Pl. XIII. Eau-forte
Pl. XIII. Etching
1980 [cat. 118-131]

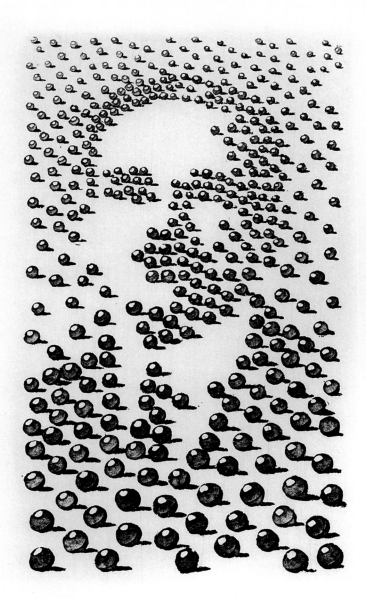

Epreuve                                              M.R. 80

**Raymond Roussel**
*Impressions d'Impressions d'Afrique*, pl. XII. Aquatinte
*Impressions d'Impressions d'Afrique*, pl. XII. Aquatint
1980 [cat. 118-131]

104 – 107

**Paar**

*Couple.* Gaufrages à partir d'une matrice en fil de fer; épreuves d'essai sur divers papiers, avec reprises à l'aquarelle, à l'encre de Chine, au fusain ou à la peinture en spray.

*Couple.* Embossing of a wire matrix; proofs on different kinds of paper, reworked with watercolour, China ink, charcoal or spray painting.
1980 [cat. 145-159]

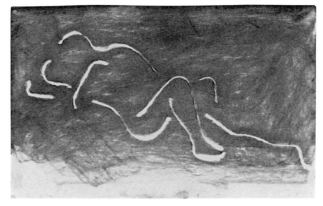

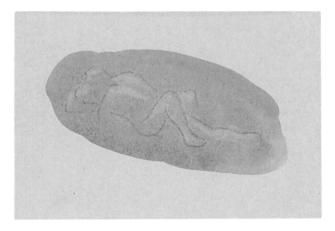

108 – 111

**Paar**

*Couple*. Gaufrages à partir d'une matrice en fil de fer; épreuves d'essai sur divers papiers, avec reprises à l'aquarelle, à l'encre de Chine, au fusain ou à la peinture en spray.
*Couple*. Embossing of a wire matrix; proofs on different kinds of paper, reworked with watercolour, China ink, charcoal or spray painting.
1980 [cat. 145-159]

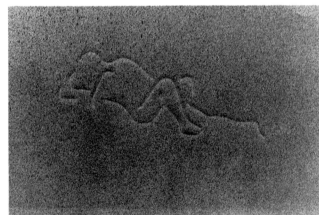

112 *Marilyn I* **(ZV 03362)**
Frottage d'une matrice en ficelle
Rubbing of a string matrix
1976 [cat. 161]

113 *Nach Elvis*
*D'après Elvis*. Offset
*After Elvis*. Offset
1978 [cat. 179]

114 *Jim Strong & John Kling*
Gravure sur bois ; essai sur Canson bleu
Woodcut; proof on blue Canson paper
1976 [cat. 163]

115 *Jim Strong & John Kling*
Gravure sur bois
Woodcut
1976 [cat. 164]

116 *1 Mann & 1 Frau gehen in 1 Haus*
*1 homme et 1 femme entrent dans 1 maison*
Pochoir sur papier gris
*A Man and a Woman Enter a House.* Stencil on grey paper
1977 [cat. 162]

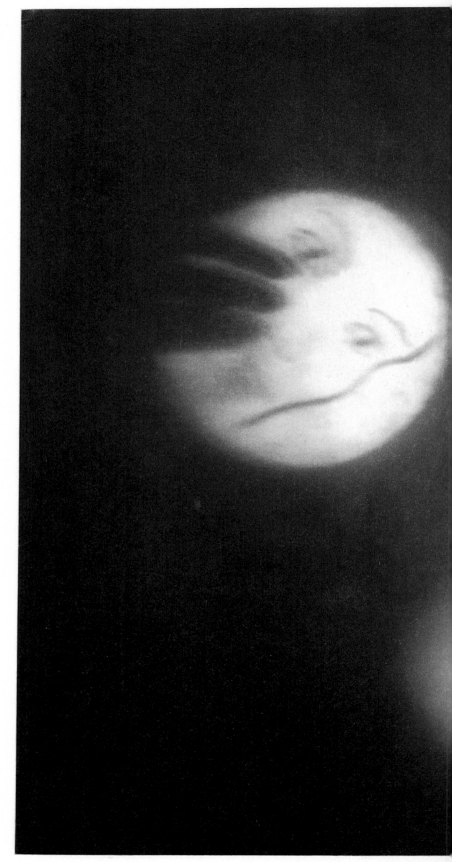

117 *Reflexion II*
Héliogravure
Photogravure
1991 [cat. 166]

6 / 35

II                                    M.R. 91

118 *Reflexion I*
Héliogravure
Photogravure
1991 [cat. 165]

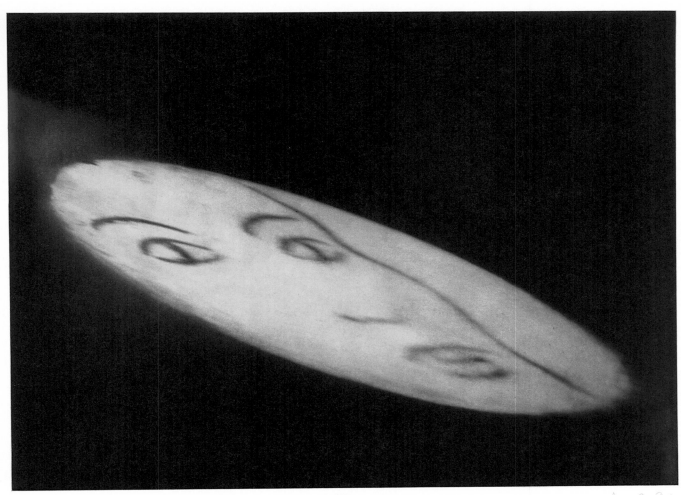

3/35      III      M.R. 91

119 *Reflexion III*
Héliogravure
Photogravure
1991 [cat. 167]

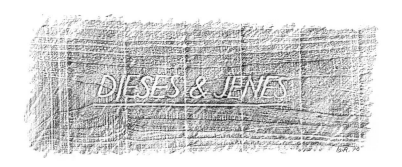

120 **Dieses & Jenes II**
*Ceci & cela II*. Frottage d'un bois
gravé, mine de plomb
*This & That II*. Rubbing with
graphite of a woodcut
1970 [cat. 171]

121 **Dieses & Jenes II**
*Ceci & cela II*. Frottage d'un bois
gravé, deux crayons de couleur
*This & That II*. Rubbing with two
coloured pencils of a woodcut
1970 [cat. 172]

122 **Dieses & Jenes III**
*Ceci & cela III*. Frottage de lettres
en relief, tampon encreur violet
*This & That III*. Rubbing of letters
in relief with violet ink
1970 [cat. 173]

93/100        M.R. 97

123 *Kreuzung*
*Croisement*. Burin
*Crossing*. Engraving
1997 [cat. 170]

*Crossing*
*Croisement*. Fonte de fer patinée ; socle en bois
*Crossing*. Cast iron with patina; wood base
2002 [cat. 195]

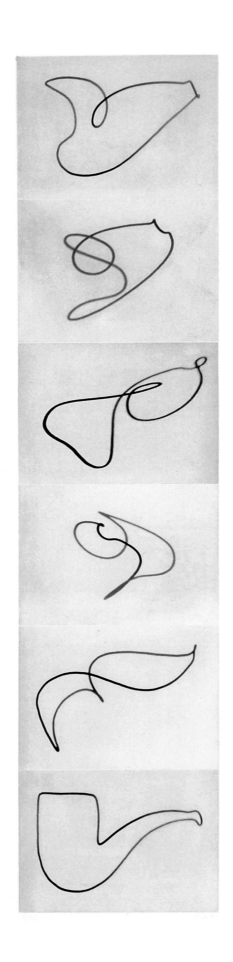

125 *Schatten*
*Ombres*. Héliogravure et aquatinte
*Shadows*. Photogravure and aquatint
1991 [cat. 168]

126 *Nichtpfeife*
*Non pipe*. Fonte de fer partiellement rouillée
*Not a Pipe*. Partly rusty cast iron
1990 [cat. 196]

127 *Looking Glass II*
  Fil de cuivre et miroir
  Copper wire and mirror
  1988-1992 [cat. 193]

128 *ME/WE*
Héliogravure et aquatinte
Photogravure and aquatint
2007 [cat. 169]

**Zwei Körper gleichen Inhalts**
*Deux figures du même volume.* Trois gaufrages sur carton
*Two Figures from the Same Volume.* Three embossings on cardboard
1999 [cat. 174-176]

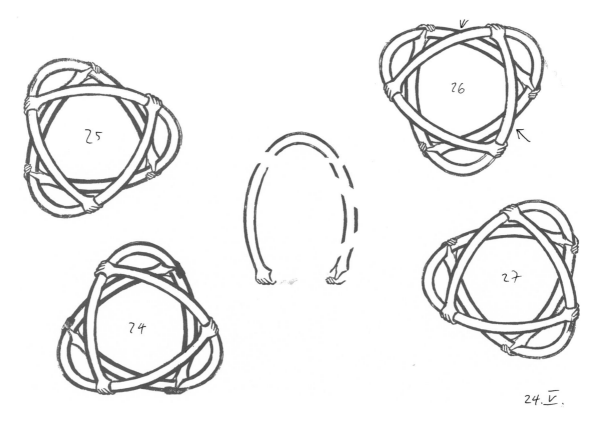

25

26

74

27

24.V̄.

24.V̄.72

132 *Main-tenant*
Gravure sur bois; état en bleu unique
Woodcut; blue unique state
1972 [cat. 25]

133 *Main-tenant*
Gravure sur bois
Woodcut
1972 [cat. 26]

134 *Dreibogenobjekt*
Fil électrique
Wire
1972-1974 [cat. 24]

35/80                                    Rätz

135 **Schären** ou **Archipel**
Sérigraphie
Screen print
1967 [cat. 177]

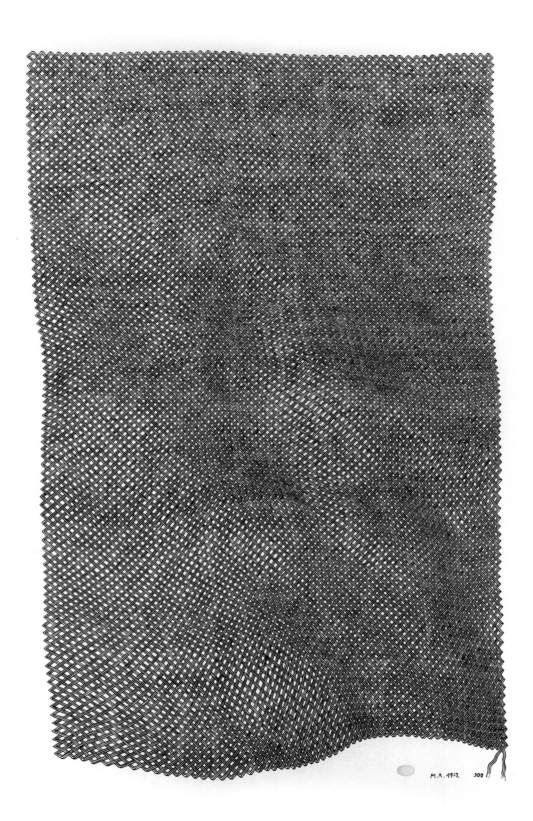

136 *Vlechtwerk II*
*Treillage II*. Copie héliographique
*Lattice Work II*. Heliographic copy
1972 [cat. 178]

137 *Akt*
*Nu.* Impression laser
*Nude.* Digital print
1978-2003 [cat. 180]

138 **Torus**
*Tore*. Tampon en rouge
*Torus*. Red stamp
1968 [cat. 182]

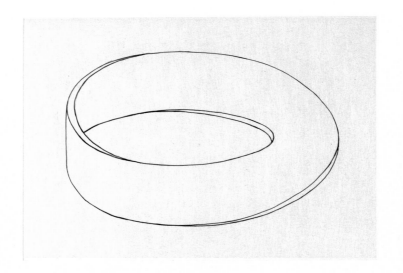

MR 2010

139 *Ring*
*Anneau*. Burin sur chine collé
*Ring*. Engraving on *chine collé*
2011 [cat. 2]

140 **Ring**
*Anneau*. Fonte de laiton patinée
*Ring*. Cast brass with patina
2009 [cat. 198]

# CATALOGUE DES ŒUVRES EXPOSÉES

Sauf mention contraire, les œuvres exposées sont conservées au département des Estampes et de la Photographie de la Bibliothèque nationale de France.

Sauf mention contraire, toutes les estampes antérieures à 1997 ont été imprimées par Peter Kneubühler, à Zurich ; et à partir de 1997, par Michèle Dillier, à Moutier.

Le catalogue raisonné de référence est celui qui a été établi par Rainer Michael Mason en 1991 (noté « Mason » ; voir bibliographie).

Les dimensions de l'élément d'impression sont données avant celles du papier (hauteur × largeur).

---

**1** (ill. 59)
*Binocular View* (Vue binoculaire)
Héliogravure en couleurs, 2001
51 × 53,5 cm ; 57 × 69 cm
Éd. et impr. : Crown Point Press,
San Francisco ; 60 ex.

**2** (ill. 139)
*Ring* (Anneau)
Burin sur chine collé, 2011
14 × 20 cm ; 44 × 33 cm
Éd. : BNF ; 99 ex.

**3** (ill. 28)
*In den Stufen der Sichtbarkeit*
(Les Marches de la visibilité)
Aquatinte, 1978
24 × 29 cm ; 37,5 × 53 cm
Éd. : Stähli, Zurich ; 33 ex.
Mason 170
Coll. MR

*Rietveld-Mappe*
(Album Rietveld)

**4**
Pl. I. *Häufchen* (Petits tas)
Eau-forte et aquatinte, 1970
12 × 14 cm ; 63 × 45 cm
Éd. : Toni Gerber, Berne ; 30 ex.
Mason 90
Coll. CNAP-FNAC / dépôt BNF

**5** (ill. 16)
Pl. III. *Fliegende Hose in liegender Pose* (Pantalon volant en position allongée)
Eau-forte et aquatinte, 1970
12 × 14 cm ; 63 × 45 cm
Éd. : Toni Gerber, Berne ; 30 ex.
Mason 93
Coll. CNAP-FNAC / dépôt BNF

**6** (ill. 15)
Pl. IV. *Zungenflug* (Vol de langues)
Eau-forte, 1970
15 × 24 cm ; 63 × 45 cm
Éd. : Toni Gerber, Berne ; 30 ex.
Mason 94
Coll. CNAP-FNAC / dépôt BNF

**7** (ill. 17)
Pl. V. *Schattenbild*
(Ombre chinoise)
Eau-forte et aquatinte, 1970
12 × 14 cm ; 63 × 45 cm
Éd. : Toni Gerber, Berne ; 30 ex.
Mason 95
Coll. CNAP-FNAC / dépôt BNF

**8** (ill. 14)
Pl. VIII. *Böueli I* (Petites boules I)
Eau-forte, papier de verre, 1970
7,5 × 12 cm ; 63 × 45 cm
Éd. : Toni Gerber, Berne ; 30 ex.
Mason 103
Coll. CNAP-FNAC / dépôt BNF

**9**
Pl. X. *Das gewöhnliche Licht. Das weihnächtliche Licht* (La Lumière ordinaire. La Lumière de Noël)
Eau-forte, 1970
6 × 10 cm ; 63 × 45 cm
Éd. : Toni Gerber, Berne ; 30 ex.
Mason 108
Coll. CNAP-FNAC / dépôt BNF

**10** (ill. 11)
Pl. XIV. *Schnelles Sujet*
(Sujet rapide)
Papier de verre et eau-forte, 1970
14,5 × 23 cm ; 63 × 45 cm
Éd. : Toni Gerber, Berne ; 30 ex.
Mason 115
Coll. CNAP-FNAC / dépôt BNF

---

**11** (ill. 24)
*Ein Auto und einige Menschen auf der Strasse* (Une auto et quelques personnes dans la rue)
Pointe sèche en rouge, 1977
14,5 × 20,7 cm ; 19 × 26,5 cm
Mason 167-A
Coll. MR

**12** (ill. 25)
*Ein Auto und einige Menschen auf der Strasse* (Une auto et quelques personnes dans la rue)
Pointe sèche en bleu, 1977

14,5 × 20,7 cm ; 19 × 26,5 cm
Mason 167-B
Coll. MR

**13** (ill. 26)
*Ein Auto und einige Menschen auf der Strasse*
(Une auto et quelques personnes dans la rue)
Pointe sèche en jaune, 1977
14,5 × 20,7 cm ; 19 × 26,5 cm
Mason 167-C
Coll. MR

**14** (ill. 27)
*Ein Auto und einige Menschen auf der Strasse*
(Une auto et quelques personnes dans la rue)
Pointe sèche en 3 couleurs, 1977
14,5 × 20,7 cm ; 53,5 × 37,5 cm
Éd. : Schweizerische Graphische Gesellschaft ; 125 ex.
Mason 167
Coll. MR

*Dreifarben-Mappe*
(Album Trois couleurs)

**15** (ill. 18)
Couverture : *Farbenkreis* (Cercle chromatique)
Aquatinte en 3 couleurs, 1977
Diam. 4 cm ; 53,5 × 38 cm
Éd. : Stähli, Zurich ; 33 ex.
Mason 158
Coll. CNAP-FNAC / dépôt BNF

**16** (ill. 19)
Pl. I. *Mary Long*
Eau-forte en 3 couleurs, 1977
10,5 × 14,5 cm ; 53,5 × 38 cm
Éd. : Stähli, Zurich ; 33 ex.
Mason 159
Coll. CNAP-FNAC / dépôt BNF

**17** (ill. 20)
Pl. II. *Photographie*
Pointe sèche en 3 couleurs, 1977

10,5 × 14,5 cm ; 53,5 × 38 cm
Éd. : Stähli, Zurich ; 33 ex.
Mason 160
Coll. CNAP-FNAC / dépôt BNF

**18** (ill. 22)
Pl. III. *Marilyn II*
Eau-forte en 3 couleurs, 1977
14,5 × 10,5 cm ; 53,5 × 38 cm
Éd. : Stähli, Zurich ; 33 ex.
Mason 161
Coll. CNAP-FNAC / dépôt BNF

**19** (ill. 23)
Pl. IV. *Blick aus einer Balkontür*
(Vue à travers une porte de balcon)
Vernis mou en 3 couleurs, 1977
21 × 14,5 cm ; 53,5 × 38 cm
Éd. : Stähli, Zurich ; 33 ex.
Mason 162
Coll. CNAP-FNAC / dépôt BNF

**20** (ill. 8)
Pl. V. *Männliche Figur, ihren Schatten betrachtend*
(Figure masculine contemplant son ombre)
Aquatinte en 3 couleurs, 1977
21 × 14,5 cm ; 53,5 × 38 cm
Éd. : Stähli, Zurich ; 33 ex.
Mason 163
Coll. CNAP-FNAC / dépôt BNF

**21** (ill. 21)
Pl. VI. *Kugel mit Schatten*
(Boule et ombre)
Papier de verre, pointe sèche et brunissoir en 3 couleurs, 1977
10,5 × 14,5 cm ; 53,5 × 38 cm
Éd. : Stähli, Zurich ; 33 ex.
Mason 164
Coll. CNAP-FNAC / dépôt BNF

**22** (ill. 6)
Pl. VII. *Selbstbildnis* (Autoportrait)
Gravure au criblé en 3 couleurs, 1977
5 × 5 cm ; 53,5 × 38 cm
Éd. : Stähli, Zurich ; 33 ex.
Mason 165
Coll. CNAP-FNAC / dépôt BNF

---

**23**
Carnet. « 21. III – 2. V 1972 »
16,5 × 13 × 2,5 cm
Coll. MR

**24** (ill. 134)
*Dreibogenobjekt*
Fil électrique, 1972-1974
8 × 8 × 8 cm
Coll. MR

**25** (ill. 132)
*Main-tenant*
Gravure sur bois, état en bleu unique,
1972
8 × 8 cm ; 21 × 29,7 cm
Mason 140
Coll. MR

**26** (ill. 133)
*Main-tenant*
Gravure sur bois en 3 couleurs, 1972
8 × 8 cm ; 21 × 29,7 cm
Mason 140
Coll. MR

**27** (ill. 29)
*Kopfspirale* (Tête en spirale)
Eau-forte : un tirage encré au-dessus
d'un tirage en réserve de trait, 1974
7 × 5,6 cm ; 38 × 28 cm
Éd. : Stähli, Zurich ; 90 ex.
Mason 152
Coll. MR

**28**
*Eben* (Même)
Texte de Max Wechsler ; DVD du film
d'animation réalisé par Markus Raetz
en 1971
Lucerne, Edizioni Periferia, 2005

**29 à 36** (ill. 50-57)
*Person D*
Morsure directe et aquatinte, 1985
21,5 × 24,5 cm ; 53 × 38 cm
8 états, 5 ex. en 1991
Mason 218

**37 à 48** (ill. 45-48)
*Profil III*
Pointe sèche, papier de verre et
brunissoir, 1982-1983
Tailles variables
12 états
Mason 205
Coll. Cabinet d'arts graphiques, musée
d'Art et d'Histoire de la ville de Genève

**49** (ill. 49)
*Profil III*
Pointe sèche, papier de verre et
brunissoir, 1982-1983
22,5 × 16,5 cm ; 45,5 × 37,5 cm
Éd. : Stähli, Zurich ; 150 ex.
Mason 205

**50** (ill. 44)
*Wellen* (Vagues)
Burin : un tirage encré au-dessus d'un
tirage en réserve de trait ; plaque de
signature gravée à l'eau-forte tirée à
sec, 1994-1995
8 × 19,5 cm ; 50 × 40 cm
Éd. et impr. : Chalcographie du musée
du Louvre, 9 ex. + tirage illimité

**51** (ill. 34)
*Profil V*
Burin, 1-11-1994
14,5 × 9 cm ; 30 × 21 cm
Coll. MR

**52** (ill. 35)
*Clair-Obscur*, pl. I
Burin, 29-11 / 2-12-1994
6 × 8 cm ; 30 × 21 cm
Coll. MR

**53**
*Clair-Obscur*, pl. II
Burin, épreuve en clair-obscur,
19-12-1994
6 × 8 cm ; 30 × 21 cm
Coll. MR

**54** (ill. 30)
*Bipolar*
Burin, 1er état, 5-12 / 9-12-1994
14,8 × 20 cm ; 21 × 30 cm
8 ex.
Coll. MR

**55** (ill. 31)
*Bipolar*
Burin, 2e état, 9-1 / 13-1-1995
14,8 × 20 cm ; 21 × 30 cm
5 ex.
Coll. MR

**56** (ill. 32)
*Bipolar*
Burin, 3e état, 6-6 / 16-6-1995
14,8 × 20 cm ; 21 × 30 cm
7 ex.
Coll. MR

**57** (ill. 33)
*Bipolar*
Burin, état définitif, 4-7 / 17-7-1995
14,8 × 20 cm ; 21 × 30 cm
8 ex.
Coll. MR

**58** (ill. 36)
*Irrwisch*
Burin, 20-12 / 21-12-1994
11,5 × 18 cm ; 30 × 21 cm
Coll. MR

**59** (ill. 42)
*Übersicht* (Vue d'en haut)
Burin, 29-12-1994 / 9-1-1995
6 × 7,8 cm ; 30 × 21 cm
Coll. MR

**60** (ill. 41)
*Zylinder* (Cylindre)
Burin, 8-3 / 9-3-1995
8 × 5,7 cm ; 30 × 21 cm
Coll. MR

**61** (ill. 39)
*M. O., nach Man Ray*
(M. O. d'après Man Ray)
Burin, 1994-1995
5,7 × 8 cm ; 30 × 21 cm
Coll. MR

**62** (ill. 43)
*Hülse* (Douille)
Burin, 19-6 / 23-6-1995
16 × 12,2 cm ; 30 × 21 cm
Coll. MR

**63**
*Kreis* (Cercle)
Burin, 1994-1995
12,2 × 16 cm ; 21 × 30 cm
Coll. MR

**64** (ill. 40)
*Bürstschen* (Petite brosse)
Burin, 1994-1995
6 × 8 cm ; 30 × 21 cm
Coll. MR

**65** (ill. 37)
*Kreise* (Cercles)
Burin, 1994-1995
8 × 12,2 cm ; 30 × 21 cm
Coll. MR

**66** (ill. 38)
*Kreise* (Cercles)
Burin, tirage en réserve de trait,
1994-1995
8 × 12,2 cm ; 30 × 21 cm
Coll. MR

**67** (ill. de couverture)
*Gaze* (Regard fixe)
Morsure directe, aquatinte en couleurs,
2001
33 × 56 cm ; 74 × 92 cm
Éd. et impr. : Crown Point Press,
San Francisco ; 60 ex.

**68** (ill. 61)
*Sehfeld* (Champ de vision)
Papier de verre, pointe sèche et
brunissoir, 2e état, 1986
12,5 × 21 cm ; 20,5 × 29 cm
Mason 233
Coll. MR

**69** (ill. 60)
*Projektion*
Morsure directe et aquatinte, 1985
21,5 × 36 cm ; 75,5 × 53 cm
Éd. : cinéclub de Morges ; 33 ex.
Mason 228

**70** (ill. 4)
*Kluge Kugel III*
(Boule intelligente III)
Aquatinte, 1985-1986
21 × 25,5 cm ; 53 × 38 cm
Éd. : Parkett (n° 8), Zurich ; 100 ex.
Mason 231

**71** (ill. 58)
*Sicht I* (Vision I)
Aquatinte, pointe sèche et brunissoir,
1985
9 × 12 cm ; 40 × 31,5 cm
Éd. : Triennale de la gravure de Granges ;
50 ex.
Mason 227

**72** (ill. 63)
*Sicht II* (Vision II)
Aquatinte et vernis mou, 1985-1986
16,5 × 21,5 cm ; 75,5 × 53 cm
Éd. : Schweizerischer Blindenverband ;
86 ex.
Mason 232

**73** (ill. 65)
*Views* (Vues)
Eau-forte, 1991
25 × 33 cm ; 61 × 56,5 cm
Éd. et impr. : Crown Point Press,
San Francisco ; 15 ex.
Mason 268

**74** (ill. 64)
*Sinne I* (Sens I)
Aquatinte en 2 couleurs, 1987
24,5 × 32 cm ; 66 × 50,5 cm
Éd. : Zürcher Kunstgesellschaft, Zurich ;
75 ex.
Mason 235

**75** (ill. 62)
*Sinne II* (Sens II)
Aquatinte en 3 couleurs, 1987
19 × 23,5 cm ; 53 × 38 cm
Éd. : Kunsthaus, Zurich / Kunstverein,
Cologne / Moderna Museet,
Stockholm ; 87 ex.
Mason 236

**76** (ill. 66)
*Luke I* (Lucarne I)
Héliogravure, 2007
20,5 × 26,5 cm ; 58 × 44,5 cm
33 ex.

**77** (ill. 67)
*Luke II* (Lucarne II)
Héliogravure en 2 couleurs, 2007
20,5 × 30,5 cm ; 61 × 47,5 cm
33 ex.

**78** (ill. 12)
*Tag oder Nacht* (Jour ou nuit)
Aquatinte en deux couleurs, 1998
58,5 × 30 cm ; 91,5 × 81 cm
33 ex.

**79** (ill. 68)
*NO W HERE*
Planche de titre de l'album. Gravure
au criblé, 1991
7,5 × 28,5 cm ; 60,5 × 69 cm
Éd. : Stähli, Zurich ; 39 ex.
Mason 245
Coll. CNAP-FNAC / dépôt musée des
Beaux-Arts Eugène Leroy, Tourcoing

**80 à 86** (ill. 69-75)
*NO W HERE*
Morsure directe, suite de 7 aquatintes
en couleurs, 1991
Format moyen des planches :
29,5 × 39,6 cm ; 60,5 × 69 cm
Éd. : Stähli, Zurich ; 39 ex.
Mason 246 à 252
Coll. FNAC / dépôt musée des Beaux-
Arts Eugène Leroy, Tourcoing

**87 à 103** (ill. 76-92)
*Ombre*
Suite de 17 planches ; héliogravure
en couleurs à partir d'une peinture sur
verre, 2007
Format moyen des planches :
9 × 18 cm ; 37,5 × 30 cm
33 ex.
Coll. CNAP-FNAC

**104 à 111**
Huit plaques de verre pour
*Ombre*
Encre de chine, 2007
9 × 18 cm
Coll. MR

**112 à 117**
Six carnets de dessins
de Markus Raetz
13 mars-18 juillet 1986 ;
10 janvier-14 mai 1987 ;
6 avril-31 octobre 1991 ; 3 septembre
1994-21 juin 1995 ; 1er janvier 2001-
28 mai 2003 ; 6 juin 2006-28 août 2007
14 × 9,5 × 0,5 cm
Coll. MR

**118 à 131** (ill. 5, 97-103)
*Eindrücke aus Afrika* (Impressions
d'Afrique), de Raymond Roussel
**Impressions d'Impressions
d'Afrique**
Suite de 14 pl. à l'eau-forte et à

l'aquatinte sur zinc, 1980
Format moyen des planches :
21,5 × 14 cm ; 30 × 27 cm
Éd. : Stähli, Zurich ; 40 ex.
Mason 175 à 188
Coll. Farideh Cadot

**132 à 137**
Six études préliminaires pour
*Impressions d'Impressions
d'Afrique*
Dessin, plume à l'encre noire,
mine de plomb, collage, tampon, 1980
21 × 29,9 cm
Coll. MR

**138**
*Il Tonto sulla collina*
(Le Fou sur la colline)
Eau-forte, 1974
7 × 5,7 cm ; 38 × 28 cm
Éd. : Stähli, Zurich ; 90 ex.
Mason 151
Coll. MR

**139** (ill. 96)
*See-Saw II* (Balançoire II)
Lettre gravée : « Nothing is lighter
than light »
Vernis mou et aquatinte, 1991
19,5 × 27 cm ; 23 × 30 cm
Éd. : Cabinet d'arts graphiques,
Genève / Kunstmuseum, Berne / Stähli,
Zurich ; 99 ex.
Mason 244

**140** (ill. 94)
*Silhouette ou The Promontory
of Noses* (Silhouette ou le
Promontoire des nez)
Héliogravure et aquatinte en couleurs,
2001
23 × 30 cm ; 53,5 × 45 cm
Éd. et impr. : Crown Point Press,
San Francisco ; 60 ex.

**141** (ill. 7)
*Flourish*
Héliogravure en couleurs sur chine
collé, 2001
54 × 46,5 cm ; 78 × 69 cm
Éd. et impr. : Crown Point Press,
San Francisco ; 60 ex.

**142** (ill. 93)
*Trim's Flourish*
Morsure directe et aquatinte en
couleurs sur chine collé, 2001
66 × 60 cm ; 90,5 × 82 cm
Éd. et impr. : Crown Point Press,
San Francisco ; 60 ex.

**143**
Laurence Sterne (1713-1768),
*The Life and Opinions of
Tristram Shandy*
Londres, 1765-1769, 9 vol. 16 × 10 cm

(exemplaire constitué de volumes
appartenant à des éditions différentes
et portant l'ex-libris du comte de la
Luzerne).
BNF, département Littérature et Art

**144** (ill. 95)
*Prélude à la Rrose (quoi ?).*
« *Sot ne rit de la Rrose, croit* »
Partition de Gavin Bryars. En
couverture : pointe sèche et aquatinte
en rose par Tanguy Garric, d'après un
lavis de Markus Raetz réalisé à partir
de deux photographies de Man Ray
(portraits de Rrose Sélavy et Erik Satie,
1921-1922).
1987 ; 35 ex.
22 × 70 cm
Mason 234
Coll. MR

**145 à 159** (ill. 104-111)
*Paar* (Couple)
Gaufrage à partir d'une matrice en fil
de fer monté sur carton.
15 épreuves d'essai sur divers papiers
(carton, papier machine, papier journal),
avec reprises à l'aquarelle, à l'encre
de chine, au fusain ou à la peinture en
spray, avril 1980
Format moyen :
20 × 6 cm ; 21 × 29,7 cm
Mason 198
Coll. MR

**160**
*Marilyn I*
Gaufrage à partir d'une matrice en
ficelle, 2 couleurs, sur japon, 1976
22 × 20 cm ; 32 × 24 cm
Mason 157
Coll. MR

**161** (ill. 112)
*Marilyn I*
Frottage d'une matrice en ficelle, sur
papier avec lavis d'encre bleue, 1976
22 × 20 cm ; 29 × 20,7 cm
Mason 157
Coll. MR

**162** (ill. 116)
*1 Mann & 1 Frau gehen in 1 Haus*
(1 homme et 1 femme entrent
dans 1 maison)
Pochoir sur papier gris, 1977
8 × 7 cm ; 21 × 29,7 cm
Mason 168

**163** (ill. 114)
*Jim Strong & John Kling*
Gravure sur bois en couleurs ; essai sur
Canson bleu, 1976
10 × 14 cm ; 12,5 × 16,5 cm
Mason 155
Coll. MR

**164** (ill. 115)
*Jim Strong & John Kling*
Gravure sur bois en 2 couleurs, 1976
10 × 14 cm ; 34 × 36,5 cm
Éd. : Georges Herzog, Büren an der
Aare ; 90 ex.
Mason 155

**165** (ill. 118)
*Reflexion I*
Héliogravure, 1991
48 × 65 cm ; 91 × 106,5 cm
Éd. et impr. : Crown Point Press,
San Francisco ; 35 ex.
Mason 259

**166** (ill. 117)
*Reflexion II*
Héliogravure, 1991
48 × 65 cm ; 91 × 106,5 cm
Éd. et impr. : Crown Point Press,
San Francisco ; 35 ex.
Mason 260

**167** (ill. 119)
*Reflexion III*
Héliogravure, 1991
48 × 65 cm ; 91 × 106,5 cm
Éd. et impr. : Crown Point Press,
San Francisco ; 35 ex.
Mason 261

**168** (ill. 125)
*Schatten* (Ombres)
Héliogravure et aquatinte en couleurs,
1991
6 plaques de 23 × 31 cm juxtaposées :
138 × 31 cm ; 176,5 × 67 cm
Éd. et impr. : Crown Point Press,
San Francisco ; 35 ex.
Mason 266

**169** (ill. 128)
*ME/WE*
Héliogravure et aquatinte en couleurs,
2007
16 × 23,5 cm ; 47,5 × 38 cm
33 ex.

**170** (ill. 123)
*Kreuzung* (Croisement)
Burin, 1997
15,8 × 29,8 cm ; 34,5 × 46,5 cm
Éd. : Centre Pasquart, Bienne, 2001 ;
100 ex.

**171** (ill. 120)
*Dieses & Jenes II* (Ceci & cela II)
Frottage d'un bois gravé, mine de
plomb, 1970
12 × 29 cm ; 21 × 29,7 cm
Mason 126
Coll. MR

**172** (ill. 121)
*Dieses & Jenes II* (Ceci & cela II)
Frottage d'un bois gravé, deux crayons
de couleur, 1970
7 × 20 cm ; 21 × 29,7 cm
Mason 126
Coll. MR

**173** (ill. 122)
*Dieses & Jenes III* (Ceci & cela III)
Frottage de lettres en relief, tampon
encreur violet, 1970
10,2 × 12,2 cm ; 21 × 29,7 cm
Mason 127
Coll. MR

**174 à 176** (ill. 129-131)
*Zwei Körper gleichen Inhalts*
(Deux figures du même volume)
3 gaufrages sur carton noir, 1999
25 × 33,3 cm
Éd. : Aargauer Kunsthaus, Aarau ; 50 ex.

**177** (ill. 135)
*Schären* ou *Archipel*
Sérigraphie en 2 couleurs, 1967
46,5 × 47 cm ; 50 × 70 cm
Éd. : Toni Gerber, Berne ; 80 ex.
Mason 51

**178** (ill. 136)
*Vlechtwerk II* (Treillage II)
Copie héliographique, tampon du *Torus*
en rouge, 1972
147,5 × 92 cm ; 159 × 99,5 cm
Éd. : Stähli, Zurich ; 300 ex.
Mason 147

**179** (ill. 113)
*Nach Elvis* (D'après Elvis)
Offset en 3 couleurs, 1978
29,5 × 21 cm ; 37,5 × 24 cm
Mason 171

**180** (ill. 137)
*Akt* (Nu)
Impression laser en couleurs,
1978-2003,
en collaboration avec Balthasar
Burkhard
68 × 90 cm ; 89 × 116 cm
Impr. : Denz Digital, Berne ; Éd. : Paris,
Catherine Putman / New York, Brooke
Alexander ; 96 ex.

**181**
Timbre en caoutchouc pour *Torus*
8 × 4,5 × 2,5 cm
Coll. MR

**182** (ill. 138)
*Torus* (Tore)
Tampon à l'encre rouge, 1968
2,3 × 3,5 cm ; 29,7 × 21 cm
Mason 55

**183**
Ruban de Moebius. Modèle
avec partition de musique
Plastique transparent et feutre noir,
2-7-2010
18 × 18 × 4,5 cm
Coll. MR

**184**
Ruban de Moebius. Modèle
du contour
Fil de fer, 2010
8,3 × 8,3 × 1,8 cm
Coll. MR

## Livres d'artistes

**185** (ill. 9)
*Markus Raetz 27 Aug. 1971 bis
17 Sept. 1971 Amsterdam*
Berne / Lucerne, Toni Gerber / Pablo
Stähli, 1972
12 × 8,5 cm
1 500 ex.

**186** (ill. 143)
*Die Bücher*
3 volumes. Zurich, Éd. Stähli, 1975
16,5 × 12,5 cm
600 ex.

**187** (ill. 142)
*& u. & + &*
Texte Rolf Geissbühler, photos Walo
von Fellenberg,
dessins Markus Raetz
Berne, Kunsthalle, 1977
24 × 18 cm

**188** (ill. 13)
*MIMI*
Photographies Markus Raetz
Aarau, Kunsthaus Aarau, 1981
18,2 × 14,8 cm
1 500 ex.

**189** (ill. 141)
*Notizen 1981-1982*
Berlin, DAAD et Rainer Verlag, 1982
15,2 × 10 cm
1 200 ex.

## Sculptures

**190**
*Doppelkonus* (Double cône)
Hêtre peint, 1986-1988
17 × 24 × 59 cm
Coll. MR

**191**
*Fernsicht* (Vue lointaine)
Fonte de fer, socle en carton, 1987
21 × 2,7 × 2,7 cm
Coll. MR

**192** (ill. 2)
*Zeemansblik* (Vue/Tôle du marin)
Relief en tôle de zinc, 1987
61,5 × 99,3 × 5 cm
Coll. particulière

**193** (ill. 127)
*Looking Glass II*
Fil de cuivre (27,5 × 7,4 × 3,3 cm) et
miroir (diam. 32 cm), 1988-1992
Coll. particulière

**194**
*Schatten Drahplastik*
Modèle de *Schatten*
Fil électrique (14 × 25 × 12 cm)
et voile en tôle d'aluminium, 1991
Coll. MR

**195** (ill. 124)
*Crossing* (Croisement)
Fonte de fer patinée, socle en bois,
2002
26,4 × 40,2 × 29,5 cm
Coll. particulière

**196** (ill. 126)
*Nichtpfeife* (Non pipe)
Fonte de fer partiellement rouillée ;
trépied en bois et acier, 1990
26 × 52,3 × 32,4 cm
Coll. particulière

**197**
*Opaques transparents*
Fil d'acier galvanisé et patiné, 2006
2 sculptures identiques mues par un
moteur
0,3 × 31,5 × 54,2 cm (chacune)
Coll. particulière

**198** (ill. 140)
*Ring* (Anneau)
Fonte de laiton patiné sur socle en bois,
2009-2011
9 × 45 × 46,5 cm
Coll. MR

# CATALOGUE OF EXHIBITED WORKS

Unless otherwise stated, all the works on display are held in the Prints and Photographs Department of the Bibliothèque nationale de France.

Unless otherwise stated, all prints earlier than 1997 were printed by Peter Kneubühler, in Zurich; those after 1997, by Michèle Dillier, in Moutier.

The catalogue raisonné referred to was drawn up by Rainer Michael Mason in 1991 (noted as 'Mason'; see bibliography).

The dimensions of the plate precede the paper size (height × width).

**1** (ill. 59)
*Binocular View*
Colour photogravure, 2001
51 × 53.5 cm; 57 × 69 cm
Publisher and printer: Crown Point Press, San Francisco; 60 copies

**2** (ill. 139)
*Ring*
Engraving on *chine collé*, 2011
14 × 20 cm; 44 × 33 cm
Publisher: BNF; 99 copies

**3** (ill. 28)
*In den Stufen der Sichtbarkeit*
(On the Steps of Visibility)
Aquatint, 1978
24 × 29 cm; 37.5 × 53 cm
Publisher: Stähli, Zurich; 33 copies
Mason 170
Coll. MR

*Rietveld-Mappe*
(Rietveld Portfolio)

**4**
Pl. I. *Häufchen* (Little Piles)
Etching and aquatint, 1970
12 × 14 cm; 63 × 45 cm
Publisher: Toni Gerber, Bern; 30 copies
Mason 90
Coll. CNAP-FNAC, deposited with the BNF

**5** (ill. 16)
Pl. III. *Fliegende Hose in liegender Pose* (Flying Trousers in Recumbent Position)
Etching and aquatint, 1970
12 × 14 cm; 63 × 45 cm
Publisher: Toni Gerber, Bern; 30 copies
Mason 93
Coll. CNAP-FNAC, deposited with the BNF

**6** (ill. 15)
Pl. IV. *Zungenflug* (Flight of Tongues)
Etching, 1970
15 × 24 cm; 63 × 45 cm
Publisher: Toni Gerber, Bern; 30 copies
Mason 94
Coll. CNAP-FNAC, deposited with the BNF

**7** (ill. 17)
Pl. V. *Schattenbild* (Silhouette)
Etching and aquatint, 1970
12 × 14 cm; 63 × 45 cm
Publisher: Toni Gerber, Bern; 30 copies
Mason 95
Coll. CNAP-FNAC, deposited with the BNF

**8** (ill. 14)
Pl. VIII. *Böueli I* (Little Balls I)
Etching, sandpaper, 1970
7.5 × 12 cm; 63 × 45 cm
Publisher: Toni Gerber, Bern; 30 copies
Mason 103
Coll. CNAP-FNAC, deposited with the BNF

**9**
Pl. X. *Das gewöhnliche Licht. Das weihnächtliche Licht*
(The Ordinary Light. The Christmas Light)
Etching, 1970
6 × 10 cm; 63 × 45 cm
Publisher: Toni Gerber, Bern; 30 copies
Mason 108
Coll. CNAP-FNAC, deposited with the BNF

**10** (ill. 11)
Pl. XIV. *Schnelles Sujet* (Fast Subject)
Etching, sandpaper, 1970
14.5 × 23 cm; 63 × 45 cm
Publisher: Toni Gerber, Bern; 30 copies
Mason 115
Coll. CNAP-FNAC, deposited with the BNF

————

**11** (ill. 24)
*Ein Auto und einige Menschen auf der Strasse* (Car and People on the Street)
Colour drypoint, 1977
14.5 × 20.7 cm; 19 × 26.5 cm
Mason 167-A
Coll. MR

**12** (ill. 25)
*Ein Auto und einige Menschen auf der Strasse* (Car and People on the Street)
Colour drypoint, 1977
14.5 × 20.7 cm; 19 × 26.5 cm
Mason 167-B
Coll. MR

**13** (ill. 26)
*Ein Auto und einige Menschen auf der Strasse* (Car and People on the Street)
Colour drypoint, 1977
14.5 × 20.7 cm; 19 × 26.5 cm
Mason 167-C
Coll. MR

**14** (ill. 27)
*Ein Auto und einige Menschen auf der Strasse* (Car and People on the Street)
Three-colour drypoint, 1977
14.5 × 20.7 cm; 53.5 × 37.5 cm
Publisher: Schweizerische Graphische Gesellschaft; 125 copies
Mason 167
Coll. MR

*Dreifarben-Mappe*
(Three Colours Portfolio)

**15** (ill. 18)
Cover: *Farbenkreis*
(Chromatic Circle)
Three-colour aquatint, 1977
Diam. 4 cm; 53.5 × 38 cm
Publisher: Stähli, Zurich; 33 copies
Mason 158
Coll. CNAP-FNAC, deposited with the BNF

**16** (ill. 19)
Pl. I. *Mary Long*
Three-colour etching, 1977
10.5 × 14.5 cm; 53.5 × 38 cm
Publisher: Stähli, Zurich; 33 copies
Mason 159
Coll. CNAP-FNAC, deposited with the BNF

**17** (ill. 20)
Pl. II. *Photographie* (Photograph)
Three-colour drypoint, 1977
10.5 × 14.5 cm; 53.5 × 38 cm
Publisher: Stähli, Zurich; 33 copies
Mason 160
Coll. CNAP-FNAC, deposited with the BNF

**18** (ill. 22)
Pl. III. *Marilyn II*
Three-colour etching, 1977
14.5 × 10.5 cm; 53.5 × 38 cm
Publisher: Stähli, Zurich; 33 copies
Mason 161
Coll. CNAP-FNAC, deposited with the BNF

**19** (ill. 23)
Pl. IV. *Blick aus einer Balkontür* (A Glance through a Balcony Door)
Three-colour soft-ground etching, 1977
21 × 14.5 cm; 53.5 × 38 cm
Publisher: Stähli, Zurich; 33 copies
Mason 162
Coll. CNAP-FNAC, deposited with the BNF

**20** (ill. 8)
Pl. V. *Männliche Figur, ihren Schatten betrachtend* (Male Figure Contemplating his Shadow)
Three-colour aquatint, 1977
21 × 14.5 cm; 53.5 × 38 cm
Publisher: Stähli, Zurich; 33 copies
Mason 163
Coll. CNAP-FNAC, deposited with the BNF

**21** (ill. 21)
Pl. VI. *Kugel mit Schatten* (Ball with Shadow)
Three-colour drypoint, sandpaper and burnisher, 1977
10.5 × 14.5 cm; 53.5 × 38 cm
Publisher: Stähli, Zurich; 33 copies
Mason 164
Coll. CNAP-FNAC, deposited with the BNF

**22** (ill. 6)
Pl. VII. *Selbstbildnis* (Self-Portrait)
Three-colour dotted manner engraving, 1977
5 × 5 cm; 53.5 × 38 cm
Publisher: Stähli, Zurich; 33 copies
Mason 165
Coll. CNAP-FNAC, deposited with the BNF

**23**
Notebook. '21. III – 2. V 1972'
16.5 × 13 × 2.5 cm
Coll. MR

**24** (ill. 134)
*Dreibogenobjekt*
Colour wire, 1972–4
8 × 8 × 8 cm
Coll. MR

**25** (ill. 132)
*Main-tenant*
Woodcut, blue unique state, 1972
8 × 8 cm; 21 × 29.7 cm
Mason 140
Coll. MR

**26** (ill. 133)
*Main-tenant*
Three-colour woodcut, 1972
8 × 8 cm; 21 × 29.7 cm
Mason 140
Coll. MR

**27** (ill. 29)
*Kopfspirale* (Head Spiral)
Etching: intaglio proof above a proof inked with a roller, 1974
7 × 5.6 cm; 38 × 28 cm
Publisher: Stähli, Zurich; 90 copies
Mason 152
Coll. MR

**28**
*Eben* (Even)
Text by Max Wechsler; DVD: Eben, an animated film by Markus Raetz (1971)
Lucerne: Edizioni Periferia, 2005

**29 to 36** (ill. 50–7)
*Person D*
Aquatint, spit-bite aquatint, 1985

21.5 × 24.5 cm; 53 × 38 cm
8 states, 5 copies printed in 1991
Mason 218

**37 to 48** (ill. 45–8)
*Profil III*
Drypoint, sandpaper and burnisher, 1982–3
Various sizes
12 states
Mason 205
Coll. Cabinet d'Arts Graphiques, Musée d'Art et d'Histoire de la Ville de Genève

**49** (ill. 49)
*Profil III*
Drypoint, sandpaper and burnisher, 1982–3
22.5 × 16.5 cm; 45.5 × 37.5 cm
Publisher: Stähli, Zurich, 150 copies
Mason 205

**50** (ill. 44)
*Wellen* (Waves)
Engraving: intaglio proof above a proof inked with a roller, embossed signature, 1994–5
8 × 19.5 cm; 50 × 40 cm
Publisher and printer: Chalcographie du Musée du Louvre, 9 copies + unlimited edition

**51** (ill. 34)
*Profil V*
Engraving, 1.11.1994
14.5 × 9 cm; 30 × 21 cm
Coll. MR

**52** (ill. 35)
*Clair-obscur*, pl. I
Engraving, 29.11 – 2.12.1994
6 × 8 cm; 30 × 21 cm
Coll. MR

**53**
*Clair-obscur*, pl. II
Engraving, chiaroscuro proof
19.12.1994
6 × 8 cm; 30 × 21 cm
Coll. MR

**54** (ill. 30)
*Bipolar*
Engraving, 1st state, 5.12 – 9.12.1994
14.8 × 20 cm; 21 × 30 cm
8 copies
Coll. MR

**55** (ill. 31)
*Bipolar*
Engraving, 2nd state, 9.1 – 13.1.1995
14.8 × 20 cm; 21 × 30 cm
5 copies
Coll. MR

**56** (ill. 32)
*Bipolar*
Engraving, 3rd state, 6.6 – 16.6.1995
14.8 × 20 cm; 21 × 30 cm
7 copies
Coll. MR

**57** (ill. 33)
*Bipolar*
Engraving, final state, 4.7 – 17.7.1995
14.8 × 20 cm; 21 × 30 cm
8 copies
Coll. MR

**58** (ill. 36)
*Irrwisch*
Engraving, 20.12 – 21.12.1994
11.5 × 18 cm; 30 × 21 cm
Coll. MR

**59** (ill. 42)
*Übersicht* (Overview)
Engraving, 29.12.1994 – 9.1.1995
6 × 7.8 cm; 30 × 21 cm
Coll. MR

**60** (ill. 41)
*Zylinder* (Cylinder)
Engraving, 8.3 – 9.3.1995
8 × 5.7 cm; 30 × 21 cm
Coll. MR

**61** (ill. 39)
*M. O., nach Man Ray*
(M. O., after Man Ray)
Engraving, 1994–5
5.7 × 8 cm; 30 × 21 cm
Coll. MR

**62** (ill. 43)
*Hülse*
Engraving, 19.6 – 23.6.1995
16 × 12.2 cm; 30 × 21 cm
Coll. MR

**63**
*Kreis* (Circle)
Engraving, 1994–5
12.2 × 16 cm; 21 × 30 cm
Coll. MR

**64** (ill. 40)
*Bürstschen* (Little Brush)
Engraving, 1994–5
6 × 8 cm; 30 × 21 cm
Coll. MR

**65** (ill. 37)
*Kreise* (Circles)
Engraving, 1994–5
8 × 12.2 cm; 30 × 21 cm
Coll. MR

**66** (ill. 38)
*Kreise* (Circles)
Engraving, proof inked with a roller, 1994–5
8 × 12.2 cm; 30 × 21 cm
Coll. MR

**67** (Cover illustration)
*Gaze*
Spit-bite aquatint, colour aquatint, 2001
33 × 56 cm; 74 × 92 cm
Publisher and printer: Crown Point Press, San Francisco; 60 copies

**68** (ill. 61)
*Sehfeld* (Field of View)
Drypoint, sandpaper and burnisher, 2nd state, 1986
12.5 × 21 cm; 20.5 × 29 cm
Mason 233
Coll. MR

**69** (ill. 60)
*Projektion*
Spit-bite aquatint, aquatint, 1985
21.5 × 36 cm; 75.5 × 53 cm
Publisher: Cinéclub de Morges;
33 copies
Mason 228

**70** (ill. 4)
*Kluge Kugel III* (Intelligent Ball III)
Aquatint, 1985–6
21 × 25.5 cm; 53 × 38 cm
Publisher: Parkett (No. 8), Zurich;
100 copies
Mason 231

**71** (ill. 58)
*Sicht I* (Sight I)
Aquatint, drypoint and burnisher, 1985
9 × 12 cm; 40 × 31.5 cm
Publisher: Triennale de la Gravure de Granges; 50 copies
Mason 227

**72** (ill. 63)
*Sicht II* (Sight II)
Aquatint and soft-ground etching, 1985–6
16.5 × 21.5 cm; 75.5 × 53 cm
Publisher: Schweizerischer Blindenverband; 86 copies
Mason 232

**73** (ill. 65)
*Views*
Etching, 1991
25 × 33 cm; 61 × 56.5 cm
Publisher and printer: Crown Point Press, San Francisco; 15 copies
Mason 268

**74** (ill. 64)
*Sinne I* (Senses I)
Two-colour aquatint, 1987
24.5 × 32 cm; 66 × 50.5 cm
Publisher: Zürcher Kunstgesellschaft,
Zurich; 75 copies
Mason 235

**75** (ill. 62)
*Sinne II* (Senses II)
Three-colour aquatint, 1987
19 × 23.5 cm; 53 × 38 cm
Publishers: Kunsthaus, Zurich /
Kunstverein, Cologne / Moderna
Museet, Stockholm; 87 copies
Mason 236

**76** (ill. 66)
*Luke I* (Dormer I)
Photogravure, 2007
20.5 × 26.5 cm; 58 × 44.5 cm
33 copies

**77** (ill. 67)
*Luke II* (Dormer II)
Two-colour photogravure, 2007
20.5 × 30.5 cm; 61 × 47.5 cm
33 copies

**78** (ill. 12)
*Tag oder Nacht* (Day or Night)
Two-colour aquatint, 1998
58.5 × 30 cm; 91.5 × 81 cm
33 copies

**79** (ill. 68)
*NO W HERE*
Title plate. Dotted manner engraving,
1991
7.5 × 28.5 cm; 60.5 × 69 cm
Publisher: Stähli, Zurich; 39 copies
Mason 245
Coll. CNAP-FNAC, deposited with the
Musée des Beaux-Arts Eugène Leroy,
Tourcoing

**80 to 86** (ill. 69–75)
*NO W HERE*
Series of 7 colour aquatint and spit-bite
aquatints, 1991
Average dimensions of the plates:
29.5 × 39.6 cm; 60.5 × 69 cm
Publisher: Stähli, Zurich; 39 copies
Mason 246 à 252
Coll. FNAC, deposited with the Musée
des Beaux-Arts Eugène Leroy, Tourcoing

**87 to 103** (ill. 76–92)
*Ombre*
Series of 17 plates; photogravure from
glass painting, 2007
Average dimensions of the plates:
9 × 18 cm; 37.5 × 30 cm
33 copies
Coll. CNAP-FNAC

**104 to 111**
Eight glass plates for the series
*Ombre*
Ink, 2007
9 × 18 cm
Coll. MR

**112 to 117**
*Six notebooks with drawings
by Markus Raetz*
13 March – 18 July 1986; 10 January
– 14 May 1987; 6 April – 31 October
1991; 3 September 1994 – 21 June
1995; 1 January 2001 – 28 May 2003;
6 June 2006 – 28 August 2007
14 × 9.5 × 0.5 cm
Coll. MR

**118 to 131** (ill. 5, 97–103)
*Eindrücke aus Afrika*
(Impressions of Africa),
by Raymond Roussel
*Impressions d'Impressions d'Afrique*
Series of 14 plates; etching and aquatint
on zinc plate, 1980
Average dimensions of the plates:
21.5 × 14 cm; 30 × 27 cm
Publisher: Stähli, Zurich; 40 copies
Mason 175 to 188
Coll. Farideh Cadot

**132 to 137**
Six studies for *Impressions
d'Impressions d'Afrique*
Black ink, drawing pen, graphite, collage,
stamp, 1980
21 × 29.9 cm
Coll. MR

**138**
*Il Tonto sulla collina* (The Fool on
the Hill)
Etching, 1974
7 × 5.7 cm; 38 × 28 cm
Publisher: Stähli, Zurich; 90 copies
Mason 151
Coll. MR

**139** (ill. 96)
*See-Saw II*
Proof lettered: 'Nothing is lighter
than light'
Soft-ground etching and aquatint, 1991
19.5 × 27 cm; 23 × 30 cm
Publisher: Cabinet d'Arts Graphiques,
Geneva / Kunstmuseum, Bern / Stähli,
Zurich; 99 copies
Mason 244

**140** (ill. 94)
*Silhouette or The Promontory
of Noses*
Colour photogravure and water bite
aquatint, 2001
23 × 30 cm; 53.5 × 45 cm
Publisher and printer: Crown Point
Press, San Francisco; 60 copies

**141** (ill. 7)
*Flourish*
Colour photogravure on chine collé,
2001
54 × 46.5 cm; 78 × 69 cm
Publisher and printer: Crown Point
Press, San Francisco; 60 copies

**142** (ill. 93)
*Trim's Flourish*
Spit-bite and aquatint on *chine collé*,
2001
66 × 60 cm; 90.5 × 82 cm
Publisher and printer: Crown Point
Press, San Francisco; 60 copies

**143**
Laurence Sterne (1713–1768),
**The Life and Opinions of Tristram
Shandy**
9 vols. 16 × 10 cm (London, 1765-
1769). A copy with volumes from
different editions, with the ex-libris of
the Count of Luzerne.
BNF, Département Littérature et Art

**144** (ill. 95)
*Prélude à la Rrose (quoi?). 'Sot ne
rit de la Rrose, croit'*
Score by Gavin Bryars. Cover
illustration: drypoint and pink aquatint
by Tanguy Garric, from a wash-drawing
by Markus Raetz made from two
photographs by Man Ray (portraits
of Rrose Sélavy and Erik Satie, 1921–2).
1987; 35 copies
22 × 70 cm
Mason 234
Coll. MR

**145 to 159** (ill. 104–11)
*Paar* (Couple)
Embossing of a wire matrix fixed
on cardboard. 15 proofs on different
kinds of paper (cardboard, machine
paper, newspaper) reworked with
watercolour, ink, charcoal or spray
painting, April 1980
Average dimensions:
20 × 6 cm; 21 × 29.7 cm
Mason 198
Coll. MR

**160**
*Marilyn I*
Embossing of a string matrix, in
reddish-brown and black, on Japan
paper, 1976
22 × 20 cm; 32 × 24 cm
Mason 157
Coll. MR

**161** (ill. 112)
*Marilyn I*
Rubbing with a roller on paper
with a blue ink wash, 1976
22 × 20 cm; 29 × 20.7 cm
Mason 157
Coll. MR

**162** (ill. 116)
*I Mann & I Frau gehen in I Haus*
(A Man and a Woman
Enter a House)
Stencil on grey paper, 1977
8 × 7 cm; 21 × 29.7 cm
Mason 168

**163** (ill. 114)
*Jim Strong & John Kling*
Colour woodcut; proof on blue Canson
paper, 1976
10 × 14 cm; 12.5 × 16.5 cm
Mason 155
Coll. MR

**164** (ill. 115)
*Jim Strong & John Kling*
Two-colour woodcut, 1976
10 × 14 cm; 34 × 36.5 cm
Publisher: Georges Herzog, Büren an
der Aare; 90 copies
Mason 155

**165** (ill. 118)
*Reflexion I*
Photogravure, 1991
48 × 65 cm; 91 × 106.5 cm
Publisher and printer: Crown Point
Press, San Francisco; 35 copies
Mason 259

**166** (ill. 117)
*Reflexion II*
Photogravure, 1991
48 × 65 cm; 91 × 106.5 cm
Publisher and printer: Crown Point
Press, San Francisco; 35 copies
Mason 260

**167** (ill. 119)
*Reflexion III*
Photogravure, 1991
48 × 65 cm; 91 × 106.5 cm
Publisher and printer: Crown Point
Press, San Francisco; 35 copies
Mason 261

**168** (ill. 125)
*Schatten* (Shadows)
Photogravure and colour aquatint, 1991
6 juxtaposed plates (each 23 × 31 cm);
138 × 31 cm; 176.5 × 67 cm
Publisher and printer: Crown Point
Press, San Francisco; 35 copies
Mason 266

**169** (ill. 128)
*ME/WE*
Photogravure and colour aquatint, 2007
16 × 23.5 cm; 47.5 × 38 cm
33 copies

**170** (ill. 123)
*Kreuzung* (Crossing)
Engraving, 1997
15.8 × 29.8 cm; 34.5 × 46.5 cm
Publisher: Centre Pasquart, Bienne,
2001; 100 copies

**171** (ill. 120)
*Dieses & Jenes II* (This & That II)
Rubbing with graphite of a woodcut,
1970
12 × 29 cm; 21 × 29.7 cm
Mason 126
Coll. MR

**172** (ill. 121)
*Dieses & Jenes II* (This & That II)
Rubbing with two coloured pencils of a
woodcut, 1970
7 × 20 cm; 21 × 29.7 cm
Mason 126
Coll. MR

**173** (ill. 122)
*Dieses & Jenes III* (This & That III)
Rubbing of letters in relief, with a violet
ink tampon, 1970
10.2 × 12.2 cm; 21 × 29.7 cm
Mason 127
Coll. MR

**174 to 176** (ill. 129–31)
*Zwei Körper gleichen Inhalts* (Two
Figures from the Same Volume)
Three embossings on black cardboard,
1999
25 × 33.3 cm
Publisher: Aargauer Kunsthaus, Aarau;
50 copies

**177** (ill. 135)
*Schären* or *Archipel*
Two-colour screen-print, 1967
46.5 × 47 cm; 50 × 70 cm
Publisher: Toni Gerber, Bern; 80 copies
Mason 51

**178** (ill. 136)
*Vlechtwerk II* (Lattice Work II)
Heliographic copy, *Torus* red stamp,
1972
147.5 × 92 cm; 159 × 99.5 cm
Publisher: Stähli, Zurich; 300 copies
Mason 147

**179** (ill. 113)
*Nach Elvis* (After Elvis)
Three-colour offset, 1978
29.5 × 21 cm; 37.5 × 24 cm
Mason 171

**180** (ill. 137)
*Akt* (Nude)
Colour digital print, 1978–2003,
in collaboration with Balthasar
Burkhard

68 × 90 cm; 89 × 116 cm
Publishers: Catherine Putman, Paris /
Brooke Alexander, New York
Printer: Denz Digital, Bern, 96 copies

**181**
Rubber stamp (*Torus*)
8 × 4.5 × 2.5 cm
Coll. MR

**182** (ill. 138)
*Torus*
Red stamp, 1968
2.3 × 3.5 cm; 29.7 × 21 cm
Mason 55

**183**
Moebius Strip. Model with sheet
of music
Transparent plastic, black pen, 2.7.2010
18 × 18 × 4.5 cm
Coll. MR

**184**
Moebius Strip. Model for the
outline
Wire, 2010
8.3 × 8.3 × 1.8 cm
Coll. MR

## Artists' Books

**185** (ill. 9)
*Markus Raetz 27 Aug. 1971 bis
17 Sept. 1971 Amsterdam*
Bern: Toni Gerber; Lucerne: Pablo
Stähli, 1972
12 × 8.5 cm
1,500 copies

**186** (ill. 143)
*Die Bücher*
3 vols. Zurich: Stähli, 1975
16.5 × 12.5 cm
600 copies

**187** (ill. 142)
*& u. & + &*
Text by Rolf Geissbühler, photographs
by Walo von Fellenberg,
drawings by Markus Raetz
Bern: Kunsthalle, 1977
24 × 18 cm

**188** (ill. 13)
*MIMI*
Photographs by Markus Raetz
Aarau: Kunsthaus, 1981
18.2 × 14.8 cm
1,500 copies

**189** (ill. 141)
*Notizen 1981-1982*
Berlin: DAAD and Rainer Verlag, 1982
15.2 × 10 cm
1,200 copies

## Sculptures

**190**
*Doppelkonus* (Double Cone)
Painted beech, 1986–8
17 × 24 × 59 cm
Coll. MR

**191**
*Fernsicht* (Distant View)
Cast iron, cardboard base, 1987
21 × 2.7 × 2.7 cm
Coll. MR

**192** (ill. 2)
*Zeemansblik*
Relief cut from a zinc sheet, 1987
61.5 × 99.3 × 5 cm
Private coll.

**193** (ill. 127)
*Looking Glass II*
Copper wire (27.5 × 7.4 × 3.3 cm)
and mirror (diam. 32 cm), 1988–92
Private coll.

**194**
*Schatten Drahplastik*
Model of *Schatten*
Wire (14 × 25 × 12 cm) and
aluminium sail, 1991
Coll. MR

**195** (ill. 124)
*Crossing*
Cast iron with patina, wood base, 2002
26.4 × 40.2 × 29.5 cm
Private coll.

**196** (ill. 126)
*Nichtpfeife* (Not a Pipe)
Partly rusty cast iron, wood
and steel tripod
26 × 52.3 × 32.4 cm
Private coll.

**197**
*Opaques Transparents*
Galvanised patinated steel wire, 2006
Two identical sculptures operated
by a motor
0.3 × 31.5 × 54.2 cm (each)
Private coll.

**198** (ill. 140)
*Ring*
Patinated brass, wood base, 2009–11
9 × 45 × 46.5 cm
Coll. MR

## PRINCIPALES EXPOSITIONS
## PERSONNELLES

**1966**
Galerie Toni Gerber, Berne.

**1967**
Galerie Felix Handschin, Bâle.

**1969**
Galerie Bruno Bischofberger,
Zurich.
Galerie Mickery, Loenersloot
(Pays-Bas).

**1971**
Galerie Herzog, Büren.
Galerie Moellenhoff, Cologne.

**1972**
Galerie Renée Ziegler, Zurich.
Kunstmuseum, Bâle.
Musée d'Art et d'Histoire,
Cabinet d'arts graphiques,
Genève.
Galerie Seriaal, Amsterdam.

**1973**
Galerie Pablo Stähli, Lucerne.
Goethe-Institut, Amsterdam.

**1975**
Galerie Pablo Stähli, Zurich.
Neue Galerie am
Landesmuseum Joanneum,
Graz.
Kunsthaus, Zurich.

**1977**
Kunsthalle, Berne.
Kunstmuseum, Berne.
Galerie Toni Gerber, Berne.

**1979**
Galerie Pablo Stähli, Zurich.
Stedelijk Museum, Amsterdam.

**1980**
Galleria Lucio Amelio, Naples.

**1981**
Aargauer Kunsthaus, Aarau.
Galerie Krinzinger, Innsbruck.
Galerie Nächst St. Stephan,
Vienne.
Kunstverein, Kassel.
Galerie Farideh Cadot, Paris.

**1982**
Daadgalerie, Berlin.
Kunsthalle, Bâle.

**1983**
Musée d'Art moderne
de la Ville de Paris, Paris.
Le Nouveau Musée,
Villeurbanne.
Frankfurter Kunstverein,
Francfort.
Kunstmuseum, Berne.

**1984**
Galerie Pablo Stähli, Zurich.

**1986**
Kunsthaus, Zurich.
Kölnischer Kunstverein,
Cologne.

**1987**
Moderna Museet, Stockholm.
Galerie Farideh Cadot,
New York.

**1988**
The New Museum of
Contemporary Art, New York.
Brooke Alexander Gallery,
New York.
Pavillon suisse de la Biennale
de Venise.

**1989**
Museum für Gegenwartskunst,
Bâle.
Galerie Farideh Cadot, Paris.

**1990**
San Diego Museum of
Contemporary Art, La Jolla.

**1991**
Galerie Pablo Stähli, Zurich.
Kunstmuseum, Berne.
Musée d'Art et d'Histoire,
Cabinet d'arts graphiques,
Genève.

**1992**
Galerie Farideh Cadot, Paris.
Brooke Alexander Gallery,
New York.

**1993**
IVAM, Centre Julio González,
Valence.
Serpentine Gallery, Londres.

**1994**
Centre culturel suisse, Paris.
Musée du Dessin et de
l'Estampe originale, Gravelines.
Galerie Franck & Schulte, Berlin.
Galleria Monica de Cardenas,
Milan.
Galerie Farideh Cadot, Paris.
Musée Rath, Genève.
The Museum of Contemporary
Art, Helsinki.

**1998**
Galerie Francesca Pia, Berne.
Galleria Periferia, Poschiavo
(Suisse).

**1999**
Galerie Farideh Cadot, Paris.
Brooke Alexander Gallery,
New York.

**2000**
Galleria Monica de Cardenas,
Milan.

**2001**
The Arts Club of Chicago,
Chicago.
University of Massachusetts,
University Museum of
Contemporary Art, Amherst.
Centre Pasquart, Bienne.
OUI/NON, place du Rhône,
Genève.

**2002**
Crown Point Press,
San Francisco.
Maison européenne de la
photographie, Paris.

**2004**
Galerie Farideh Cadot, Paris.
Galleria Monica de Cardenas,
Milan.
Lindenau-Museum, Altenbourg.

**2005**
Aargauer Kunsthaus, Aarau.

**2006**
Carré d'art – musée d'Art
contemporain, Nîmes.
Galerie Farideh Cadot, Paris.
Galleria Monica de Cardenas,
Zuoz (Suisse).

**2007**
Museum der Moderne,
Salzbourg.

**2011**
Musée d'Art moderne et
contemporain (MAMCO),
Genève.
Galerie Farideh Cadot, Paris.
Bibliothèque nationale de
France, Paris.

**2012**
Musée des Beaux-Arts Eugène-
Leroy (MUBA), Tourcoing.
Kunstmuseum, Bâle.

# PRINCIPALES EXPOSITIONS
# COLLECTIVES

**1965**
IVᵉ Biennale, Paris.

**1968**
Documenta IV, Kassel.

**1969**
« When attitudes become
form », Kunsthalle, Berne.

**1970**
« Information », Museum of
Modern Art, New York.
« Between man and matter »,
Xᵉ Biennale, Tokyo.

**1971**
VIIᵉ Biennale, Paris.

**1972**
Documenta V, Kassel.
« 31 artistes suisses
contemporains », Grand Palais,
Paris.

**1977**
XIVᵉ Biennale, São Paulo.

**1980**
« Gli anni Settanta », XXXIXᵉ
Biennale, Venise.

**1981**
« Schweizer Kunst '70-'80 »,
Kunstmuseum, Lucerne.

**1982**
« '60-'80 : attitudes, concepts,
images », Stedelijk Museum,
Amsterdam.
Documenta VII, Kassel.

**1984**
« An international survey of
recent painting and sculpture »,
Museum of Modern Art,
New York.
« Skulptur im 20. Jahrhundert »,
Merian-Park, Bâle.

**1985**
« Promenades », parc Lullin,
Genève.
« Cross-currents in Swiss art »,
Serpentine Gallery, Londres.

**1990**
VIIIᵉ Biennale, Sydney.

**1991**
« Visionäre Schweiz »,
Kunsthaus, Zurich.
Museo Nacional Centro de
Arte Reina Sofía, Madrid.
Kunsthalle, Düsseldorf.

**1992**
Artscape Nordland, Vestvågøy
(îles Lofoten, Norvège).

**1993**
« Szenenwechsel », Museum
für Moderne Kunst,
Francfort.
« Toyama now '93 – Art
scene in Central Europe »,
The Museum of Modern Art,
Toyama.

**1997**
« Le miroir vivant », musée
cantonal des Beaux-Arts,
Lausanne.

**1998**
« Szenenwechsel », Museum
für Moderne Kunst, Francfort.
« 13 Räume für Zeichnungen
– Schweizer Zeichnungen des
20. Jahrhunderts », Frankfurter
Kunstverein, Francfort ;
Rupertinum, Salzbourg.
Centro de Arte Moderna José
de Azeredo Perdigão, Lisbonne.
XXIVᵉ Biennale, São Paulo.

**1999**
Perspektíva, Budapest.
« Search light: consciousness
at the millennium », CCAC,
San Francisco.

**2000**
« Mnemosyne », Coimbra.
« Szenenwechsel », Museum
für Moderne Kunst, Francfort.

**2002**
« Zeitmaschine »,
Kunstmuseum, Berne.
« Aubes. Rêveries au bord
de Victor Hugo », maison de
Victor Hugo, Paris.

**2003**
« Dalí und die Magier der
Mehrdeutigkeit », Museum
Kunst Palast, Düsseldorf.

**2004**
« Eyes, lies and illusions »,
Hayward Gallery, Londres.
« Mirrorical returns: Marcel
Duchamp and the 20th century
art », The National Museum of
Art, Osaka.
IXᵉ Triennale Kleinplastik,
Fellbach (RFA).

**2005**
« Wolkenbilder », Aargauer
Kunsthaus, Aarau.
« Daumenkino », Kunsthalle,
Düsseldorf.

**2006**
« Eye on Europe… », Museum
of Modern Art, New York.
« The expanded eye »,
Kunsthaus, Zurich.

**2007**
« Präzision und Wahnsinn.
Positionen der Schweizer Kunst
von Hodler bis Hirschhorn »,
Kunstmuseum Wolfsburg,
Wolfsbourg.
« Artempo », Palazzo Fortuny,
Venise.
« Affinità e complementi »,
Museo Cantonale d'Arte,
Lugano.

**2009**
« Slow Movement », Kunsthalle,
Berne.
« Une image peut en cacher
une autre. Arcimboldo, Dalí,
Raetz », Grand Palais, Paris.
« Ausgezeichnet zeichnen »,
Akademie der Künste, Berlin.

**2010**
« Linea. Vom Umriss zur
Aktion », Kunsthaus Zug, Zough
(Suisse).
« Bilderwahl! Metamorphose…
heute! », Kunsthaus, Zurich.

## MAIN SOLO EXHIBITIONS

**1966**
Galerie Toni Gerber, Bern.

**1967**
Galerie Felix Handschin, Basel.

**1969**
Galerie Bruno Bischofberger,
Zurich.
Galerie Mickery, Loenersloot
(Netherlands).

**1971**
Galerie Herzog, Büren.
Galerie Moellenhoff, Cologne.

**1972**
Galerie Renée Ziegler, Zurich.
Kunstmuseum, Basel.
Musée d'Art et d'Histoire,
Cabinet d'Arts Graphiques,
Geneva.
Galerie Seriaal, Amsterdam.

**1973**
Galerie Pablo Stähli, Lucerne.
Goethe-Institut, Amsterdam.

**1975**
Galerie Pablo Stähli, Zurich.
Neue Galerie am
Landesmuseum Joanneum,
Graz.
Kunsthaus, Zurich.

**1977**
Kunsthalle, Bern.
Kunstmuseum, Bern.
Galerie Toni Gerber, Bern.

**1979**
Galerie Pablo Stähli, Zurich.
Stedelijk Museum, Amsterdam.

**1980**
Galleria Lucio Amelio, Naples.

**1981**
Aargauer Kunsthaus, Aarau.

Galerie Krinzinger, Innsbruck.
Galerie Nächst St. Stephan,
Vienna.
Kunstverein, Kassel.
Galerie Farideh Cadot, Paris.

**1982**
Daadgalerie, Berlin.
Kunsthalle, Basel.

**1983**
Musée d'Art Moderne de la
Ville de Paris, Paris.
Le Nouveau Musée,
Villeurbanne.
Frankfurter Kunstverein,
Frankfurt.
Kunstmuseum, Bern.

**1984**
Galerie Pablo Stähli, Zurich.

**1986**
Kunsthaus, Zurich.
Kölnischer Kunstverein,
Cologne.

**1987**
Moderna Museet, Stockholm.
Galerie Farideh Cadot,
New York.

**1988**
The New Museum of
Contemporary Art, New York.
Brooke Alexander Gallery,
New York.
Swiss Pavilion at the Venice
Biennale.

**1989**
Museum für Gegenwartskunst,
Basel.
Galerie Farideh Cadot, Paris.

**1990**
San Diego Museum of
Contemporary Art, La Jolla.

**1991**
Galerie Pablo Stähli, Zurich.
Kunstmuseum, Bern.
Musée d'Art et d'Histoire,
Cabinet d'Arts Graphiques,
Geneva.

**1992**
Galerie Farideh Cadot, Paris.
Brooke Alexander Gallery,
New York.

**1993**
IVAM, Centre Julio González,
Valencia.
Serpentine Gallery, London.

**1994**
Centre Culturel Suisse, Paris.
Musée du Dessin et de
l'Estampe Originale, Gravelines.
Galerie Franck & Schulte, Berlin.
Galleria Monica de Cardenas,
Milan.
Galerie Farideh Cadot, Paris.
Musée Rath, Geneva.
The Museum of Contemporary
Art, Helsinki.

**1998**
Galerie Francesca Pia, Bern.
Galleria Periferia, Poschiavo
(Switzerland).

**1999**
Galerie Farideh Cadot, Paris.
Brooke Alexander Gallery,
New York.

**2000**
Galleria Monica de Cardenas,
Milan.

**2001**
The Arts Club of Chicago,
Chicago.
University of Massachusetts,
University Museum of

Contemporary Art, Amherst.
Centre Pasquart, Bienne.
OUI/NON, Place du Rhône,
Geneva.

**2002**
Crown Point Press,
San Francisco.
Maison Européenne de la
Photographie, Paris.

**2004**
Galerie Farideh Cadot, Paris.
Galleria Monica de Cardenas,
Milan.
Lindenau-Museum, Altenburg.

**2005**
Aargauer Kunsthaus, Aarau.

**2006**
Carré d'Art – Musée d'Art
Contemporain, Nîmes.
Galerie Farideh Cadot, Paris.
Galleria Monica de Cardenas,
Zuoz (Switzerland).

**2007**
Museum der Moderne,
Salzburg.

**2011**
Musée d'Art Moderne et
Contemporain (MAMCO),
Geneva.
Galerie Farideh Cadot, Paris.
Bibliothèque Nationale de
France, Paris.

**2012**
Musée des Beaux-Arts Eugène-
Leroy (MUBA), Tourcoing.
Kunstmuseum, Basel.

## MAIN GROUP EXHIBITIONS

**1965**
4th Paris Biennale.

**1968**
Documenta 4, Kassel.

**1969**
'When Attitudes Become
Form', Kunsthalle, Bern.

**1970**
'Information', Museum of
Modern Art, New York.
'Between Man and Matter',
Tokyo 10th Biennale.

**1971**
7th Paris Biennale.

**1972**
Documenta 5, Kassel.
'31 Artistes Suisses
Contemporains', Grand Palais,
Paris.

**1977**
14th São Paulo Biennale.

**1980**
'Gli Anni Settanta', 39th Venice
Biennale.

**1981**
'Schweizer Kunst '70–'80',
Kunstmuseum, Lucerne.

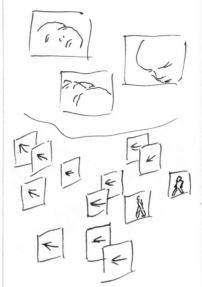

141  *Notizen 1981-1982*
Livre d'artiste
Artist's book
1982 [cat. 189]

**1982**
''60–'80: Attitudes, Concepts, Images', Stedelijk Museum, Amsterdam.
Documenta 7, Kassel.

**1984**
'An International Survey of Recent Painting and Sculpture', Museum of Modern Art, New York.
'Skulptur im 20. Jahrhundert', Merian-Park, Basel.

**1985**
'Promenades', Parc Lullin, Geneva.
'Cross-Currents in Swiss Art', Serpentine Gallery, London.

**1990**
8th Biennale of Sydney.

**1991**
'Visionäre Schweiz', Kunsthaus, Zurich.

Museo Nacional Centro de Arte Reina Sofía, Madrid.
Kunsthalle, Düsseldorf.

**1992**
Artscape Nordland, Vestvågøy (Lofoten Islands, Norway).

**1993**
'Szenenwechsel', Museum für Moderne Kunst, Frankfurt.
'Toyama Now '93 – Art Scene in Central Europe', The Museum of Modern Art, Toyama.

**1997**
'Le Miroir Vivant', Musée Cantonal des Beaux-Arts, Lausanne.

**1998**
'Szenenwechsel', Museum für Moderne Kunst, Frankfurt.
'13 Räume für Zeichnungen – Schweizer Zeichnungen des 20. Jahrhunderts', Frankfurter Kunstverein, Frankfurt; Rupertinum, Salzburg.
Centro de Arte Moderna José de Azeredo Perdigão, Lisbon.
24th São Paulo Biennale.

**1999**
Perspektíva, Budapest.
'Search Light: Consciousness at the Millennium', CCAC, San Francisco.

**2000**
'Mnemosyne', Coimbra.
'Szenenwechsel', Museum für Moderne Kunst, Frankfurt.

**2002**
'Zeitmaschine', Kunstmuseum, Bern.
'Aubes. Rêveries au Bord de Victor Hugo', Victor Hugo's House, Paris.

**2003**
'Dalí und die Magier der Mehrdeutigkeit', Museum Kunst Palast, Düsseldorf.

**2004**
'Eyes, Lies and Illusions', Hayward Gallery, London.
'Mirrorical Returns: Marcel Duchamp and the 20th Century Art', The National Museum of Art, Osaka.
9th Triennale Kleinplastik, Fellbach (Germany).

**2005**
'Wolkenbilder', Aargauer Kunsthaus, Aarau.
'Daumenkino', Kunsthalle, Düsseldorf.

**2006**
'Eye on Europe...', Museum of Modern Art, New York.
'The Expanded Eye', Kunsthaus, Zurich.

**2007**
'Präzision und Wahnsinn. Positionen der Schweizer Kunst von Hodler bis Hirschhorn', Kunstmuseum, Wolfsburg.
'Artempo', Palazzo Fortuny, Venice.
'Affinità e Complementi', Museo Cantonale d'Arte, Lugano.

**2009**
'Slow Movement', Kunsthalle, Bern.
'Une Image Peut en Cacher une Autre. Arcimboldo, Dalí, Raetz', Grand Palais, Paris.
'Ausgezeichnet Zeichnen', Akademie der Künste, Berlin.

**2010**
'Linea. Vom Umriss zur Aktion', Kunsthaus, Zug (Switzerland).
'Bilderwahl! Metamorphose... Heute!', Kunsthaus, Zurich.

# BIBLIOGRAPHIE

*Dans chaque rubrique, les publications sont classées par ordre chronologique.*

## Catalogues d'exposition

*Markus Raetz: Zeichnungen, Objekte*, texte de Dieter Koepplin, Bâle, Kunstmuseum Basel, 1972.

*Markus Raetz. Zeichnungen, Aquarelle, «die Bücher»*, textes de Wilfried Skreiner et Jean-Christophe Ammann, Graz, Akademische Druck- u. Verlagsanstalt, 1975.

*Markus Raetz. Notizbuch, Amsterdam Frühjahr 1973*, texte d'Erika Gysling-Billeter, Zurich, Kunsthaus Zürich, 1975.

*«Das Beobachten des Beobachtens»: Markus Raetz Zeichnungen*, texte de Jürgen Glaesemer, Berne, Kunstmuseum Bern, 1977.

*Markus Raetz*, texte de Ad Petersen, Amsterdam, Stedelijk Museum Amsterdam, 1979.

*Markus Raetz : Arbeiten / Travaux / Works, 1971-1981*, texte de Jean-Christophe Ammann, Bâle / Paris / Villeurbanne / Francfort, Kunsthalle Basel / musée d'Art moderne de la Ville de Paris / Le Nouveau Musée / Frankfurter Kunstverein, 1982.

*Markus Raetz, Arbeiten 1962 bis 1986*, textes de Toni Stooss, Max Wechsler, Walo von Fellenberg, Gilbert Lascault, François Grundbacher, Jacques Caumont, Jennifer Gough-Cooper et Bernhard Bürgi, Zurich, Kunsthaus Zürich, 1986.

*Markus Raetz: In the Realm of the Possible*, texte de Marcia Tucker, New York, The New Museum of Contemporary Art, 1988.

*Markus Raetz. Biennale di Venezia 1988. Svizzera*, texte de Bernhard Bürgi, Berne, Bundesamt für Kulturpflege, 1988.

*Markus Raetz. Les Estampes. Die Druckgraphik. The Prints, 1958-1991*, textes de Rainer Michael Mason, Juliane Willi-Cosandier et Josef Helfenstein, Genève / Berne / Zurich, Cabinet d'arts graphiques / Kunstmuseum / Stähli, 1991.

*Ceci-Cela*, textes de Ad Petersen, Max Wechsler, César Menz et Claude Ritschard, Valence, IVAM Centre Julio González, 1993 ; Genève, musée Rath, 1994.

*Markus Raetz. Polaroïds, 1978-1993*, préface d'Ad Petersen, Valence, IVAM Centre Julio González, 1993 ; Genève, musée Rath, 1994.

*Markus Raetz*, texte de Max Wechsler, Helsinki, Museum of Contemporary Art Publications, 1994.

*Markus Raetz*, textes de Kathy S. Cottong et Richard Francis, Chicago, The Arts Club of Chicago, 2001.

*Markus Raetz*, textes de Andreas Meier, Berne, Stämpfli Verlag, 2001.

*Nothing is Lighter than Light*, textes de Hervé Gauville, Jean-Luc Monterosso et Toni Stooss, Paris, Maison européenne de la photographie, 2002 ; Salzbourg, Museum der Moderne, 2006.

*Markus Raetz. NO W HERE*, textes de Jutta Penndorf, Ursula Bode, Johannes Gachnang et Walter Grasskamp, Altenburg / Nuremberg, Lindenau-Museum / Verlag für moderne Kunst, 2004.

*Markus Raetz*, texte de Gilbert Lascault, Arles / Nîmes, Actes Sud / Carré d'art, 2006.

## Autres publications

*Krant*, Amsterdam, galerie Seriaal, 1972.

GERBER (Toni), RAETZ (Markus), *Bezüge und Beziehungen: ein Text zu Arbeiten von Markus Raetz*, Reinach, Schaub, 1977.

Revue *Parkett*, n° 8 (Zurich, Parkett Verlag, 1986), articles de Bice Curiger, Gilbert Lascault, Alain Cueff, François Grundbacher et Jürgen Glaesemer.

BÜRGI (Bernhard), *Markus Raetz, «Die Bücher», 1972-1976*, Zurich, Stähli, 2 vol., 1987.

PARAVICINI (Flurina), Paravicini (Gianni) (dir.), *Markus Raetz. Cataloghi e Monografie*, Lucerne / Milan, Edizioni Periferia / A+M Bookstore Edizioni, 2001.

*Markus Raetz. Eben*, texte de Max Wechsler avec un DVD (film d'animation réalisé par l'artiste en 1971), Lucerne, Edizioni Periferia, 2005.

KUNZ (Stephan) (dir.), *Blickwechsel. Texte zum Werk von Markus Raetz*, Aarau / Nuremberg, Aargauer Kunsthaus / Verlag für moderne Kunst, 2005.

## Livres d'artistes

*Markus Raetz, 27 Aug. 1971 bis 17 Sept. 1971. Amsterdam*. Berne / Lucerne, Toni Gerber / P. B. Stähli, 1972 (1 500 ex.).

*Die Bücher*, Zurich, Stähli, 3 vol., 1975 (600 ex.).

*& u. & + &*, photos de Walo von Fellenberg, texte de Rolf Geissbühler, dessins de Markus Raetz, Berne, Kunsthalle Bern, 1977.

*MIMI*, photographies de Markus Raetz, Aarau, Kunsthaus Aarau, 1981 (1 500 ex.).

*Markus Raetz, Notizen 1981-82*, Berlin, DAAD et Rainer Verlag, 1983 (1 200 ex.).

# BIBLIOGRAPHY

*The entries are in chronological order within each section.*

## Exhibition Catalogues

*Markus Raetz: Zeichnungen, Objekte.* Text by Dieter Koepplin. Basel: Kunstmuseum Basel, 1972.

*Markus Raetz. Zeichnungen, Aquarelle, «die Bücher».* Texts by Wilfried Skreiner and Jean-Christophe Ammann. Graz: Akademische Druck- u. Verlagsanstalt, 1975.

*Markus Raetz. Notizbuch, Amsterdam Frühjahr 1973.* Text by Erika Gysling-Billeter. Zurich: Kunsthaus Zürich, 1975.

*«Das Beobachten des Beobachtens»: Markus Raetz Zeichnungen.* Text by Jürgen Glaesemer. Bern: Kunstmuseum Bern, 1977.

*Markus Raetz.* Text by Ad Petersen. Amsterdam: Stedelijk Museum Amsterdam, 1979.

*Markus Raetz: Arbeiten / Travaux / Works, 1971–1981.* Text by Jean-Christophe Ammann. Basel: Kunsthalle Basel; Paris: Musée d'Art Moderne de la Ville de Paris; Villeurbanne: Le Nouveau Musée; and Frankfurt: Frankfurter Kunstverein, 1982.

*Markus Raetz, Arbeiten 1962 bis 1986.* Texts by Toni Stooss, Max Wechsler, Walo von Fellenberg, Gilbert Lascault, François Grundbacher, Jacques Caumont, Jennifer Gough-Cooper and Bernhard Bürgi. Zurich: Kunsthaus Zürich, 1986.

*Markus Raetz: In the Realm of the Possible.* Text by Marcia Tucker. New York: The New Museum of Contemporary Art, 1988.

*Markus Raetz. Biennale di Venezia 1988. Svizzera.* Text by Bernhard Bürgi. Bern: Bundesamt für Kulturpflege, 1988.

*Markus Raetz. Les Estampes – Die Druckgraphik – The Prints, 1958–1991.* Texts by Rainer Michael Mason, Juliane Willi-Cosandier and Josef Helfenstein. Geneva: Cabinet d'Arts Graphiques; Bern: Kunstmuseum Bern; and Zurich: Stähli, 1991.

*Ceci-Cela.* Texts by Ad Petersen, Max Wechsler, César Menz and Claude Ritschard. Valencia: IVAM Centre Julio González, 1993; Geneva: Musée Rath, 1994.

*Markus Raetz. Polaroïds, 1978– 1993.* Preface by Ad Petersen. Valencia: IVAM Centre Julio González, 1993; Geneva: Musée Rath, 1994.

*Markus Raetz.* Text by Max Wechsler. Helsinki: Museum of Contemporary Art Publications, 1994.

142 *& u. & + &*
Livre d'artiste
Artist's book
1977 [cat. 187]

*Markus Raetz*. Texts by Kathy
S. Cottong and Richard Francis.
Chicago: The Arts Club of
Chicago, 2001.

*Markus Raetz*. Texts by Andreas
Meier. Bern: Stämpfli Verlag, 2001.

*Nothing is Lighter than Light*. Texts
by Hervé Gauville, Jean-Luc
Monterosso and Toni Stooss.
Paris: Maison Européenne de la
Photographie, 2002; Salzburg,
Museum der Moderne, 2006.

*Markus Raetz. NO W HERE*. Texts
by Jutta Penndorf, Ursula Bode,
Johannes Gachnang and Walter
Grasskamp. Altenburg: Lindenau-
Museum; and Nuremberg: Verlag
für Moderne Kunst, 2004.

*Markus Raetz*. Text by Gilbert
Lascault. Arles: Actes Sud; and
Nîmes: Carré d'Art, 2006.

## Other Publications

*Krant*. Amsterdam: Seriaal Gallery,
1972.

Gerber, Toni, and Markus Raetz.
*Bezüge und Beziehungen: ein Text
zu Arbeiten von Markus Raetz*.
Reinach: Schaub, 1977.

*Parkett*, No. 8. Articles by Bice
Curiger, Gilbert Lascault, Alain
Cueff, François Grundbacher and
Jürgen Glaesemer. Zurich: Parkett
Verlag, 1986.

Bürgi, Bernhard. *Markus Raetz,
«Die Bücher», 1972–1976*. 2 vols.
Zurich: Stähli, 1987.

Paravicini, Flurina, and Gianni
Paravicini, eds. *Markus Raetz.
Cataloghi e Monografie*. Lucerne:
Edizioni Periferia; and Milan: A+M
Bookstore Edizioni, 2001.

*Markus Raetz. Eben*. Text by
Max Wechsler; DVD: *Eben*, an
animated film by Markus Raetz
(1971). Lucerne: Edizioni Periferia,
2005.

Kunz, Stephan, ed. *Blickwechsel.
Texte zum Werk von Markus
Raetz*. Aarau: Aargauer Kunsthaus;
and Nuremberg: Verlag für
Moderne Kunst, 2005.

## Artists' Books

*Markus Raetz, 27 Aug. 1971 bis
17 Sept. 1971. Amsterdam*. Bern:
Toni Gerber; and Lucerne:
P. B. Stähli, 1972 (1,500 copies).

*Die Bücher*. 3 vols. Zurich: Stähli,
1975 (600 copies).

*& u. & + &*. Photographs by
Walo von Fellenberg, text by
Rolf Geissbühler, drawings by
Markus Raetz. Bern: Kunsthalle
Bern, 1977.

*MIMI*. Photographs by Markus
Raetz. Aarau: Kunsthaus Aarau,
1981 (1,500 copies).

*Markus Raetz, Notizen 1981–82*.
Berlin: DAAD and Rainer Verlag,
1983 (1,200 copies).

143 *Die Bücher*
Livre d'artiste
Artist's book
1975 [cat. 186]

Crédits photographiques

Sauf mention contraire, toutes les œuvres reproduites dans cet ouvrage
sont conservées ou déposées à la Bibliothèque nationale de France et ont
été photographiées par son département de la Reproduction. Les numéros
renvoient aux illustrations. L'iconographie provenant des collections de la
BNF est disponible à la vente et à la consultation sur sa banque d'images :
<http://images.bnf.fr>.


Credits

Unless otherwise stated, all the works reproduced in this catalogue are
owned by or deposited with the Bibliothèque Nationale de France and have
been photographed by its Reproduction department. The numbers refer
to the illustrations. Images from the BNF's collections can be viewed and
purchased on its image base: <http://images.bnf.fr>.


© ADAGP, Paris 2011 pour l'œuvre de Markus Raetz.

Photo © Alexander Jaquemet, 2011 : 1.

Avec l'aimable autorisation de la galerie Farideh Cadot, Paris :
5 ; 97 à 103 (cl. Bertrand Huet) ; 124, 127, 140.
Cl. Lucia Degonda : 134.
Cl. Peter Lauri, Berne : 126.
Cl. Michel Urtado : couverture, 6, 9, 10, 12, 13, 15, 16, 17, 18, 21 à 28, 30 à 43,
50 à 58, 60 à 63, 66, 67, 93, 95, 96, 104 à 116, 118, 120 à 123, 128 à 133, 135,
137, 138, 141, 142.
Cl. Thomas Wey : 2.

CNAP/photo, avec l'autorisation de la galerie Farideh Cadot, Paris :
76 à 92.
Musée des Beaux-Arts Eugène Leroy, Tourcoing : 68 à 75.
Musées d'Art et d'Histoire (Cabinet d'arts graphiques), Ville de Genève,
cl. Bettina Jacot-Descombes : 45, 46, 47, 48.


Typographie Gill sans
Photogravure : Planète Couleurs, Paris
Portfolio du tirage de tête : Dermont Duval
Achevé d'imprimer en septembre 2011
sur les presses de Grafiche Flaminia à Foligno
sur papier Arctic Volume White 150 g
issu de forêts gérées durablement.

Dépôt légal : octobre 2011
Imprimé en Italie